François Miville-Dechêne

GOLDMANN KLASSIKER

JOSEPH VON EICHENDORFF

in Taschenbuchausgaben des Wilhelm Goldmann Verlags:

JOSEPH VON EICHENDORFF

Aus dem Leben eines Taugenichts

Novelle

Gedichte

WILHELM GOLDMANN VERLAG

MÜNCHEN

Nachwort und bibliographische Hinweise: Helmut Koopmann.
Erstdruck in: Deutsche Dichter der Romantik. Ihr Leben und
Werk. Unter Mitarbeit zahlreicher Fachgelehrter herausgegeben
von Benno von Wiese. Berlin, Bielefeld und München: Erich
Schmidt Verlag 1971. Seite 416–441. Der Abdruck erfolgt mit
freundlicher Genehmigung des Erich Schmidt Verlages. Die
bibliographischen Hinweise wurden ergänzt
Umschlagbild: Wanderschaft. Holzschnitt von Ludwig Richter,
1859. Ausschnitt

7074 · Made in Germany · V · 66175
Umschlagentwurf: Ilsegard Reiner. Satz und Druck: Presse-Druck
Augsburg. Verlagsnummer: 7552 : MV/pap
ISBN 3-442-07552-1

Aus dem Leben eines Taugenichts

Erstes Kapitel

Das Rad an meines Vaters Mühle brauste und rauschte schon wieder recht lustig, der Schnee tröpfelte emsig vom Dache, die Sperlinge zwitscherten und tummelten sich dazwischen; ich saß auf der Türschwelle und wischte mir den Schlaf aus den Augen; mir war so recht wohl in dem warmen Sonnenscheine. Da trat der Vater aus dem Hause; er hatte schon seit Tagesanbruch in der Mühle rumort und die Schlafmütze schief auf dem Kopfe, der sagte zu mir: »Du Taugenichts! Da sonnst du dich schon wieder und dehnst und reckst dir die Knochen müde und läßt mich alle Arbeit allein tun. Ich kann dich hier nicht länger füttern. Der Frühling ist vor der Tür, geh auch einmal hinaus in die Welt und erwirb dir selber dein Brot.« – »Nun«, sagte ich, »wenn ich ein Taugenichts bin, so ist's gut, so will ich in die Welt gehn und mein Glück machen.« Und eigentlich war mir das recht lieb, denn es war mir kurz vorher selber eingefallen, auf Reisen zu gehn, da ich die Goldammer, welche im Herbst und Winter immer betrübt an unserem Fenster sang: »Bauer, miet mich, Bauer, miet mich!«, nun in der schönen Frühlingszeit wieder ganz stolz und lustig vom Baume rufen hörte: »Bauer, behalt deinen Dienst!« Ich ging also in das Haus hinein und holte meine Geige, die ich recht artig spielte, von der Wand, mein Vater gab mir noch einige Groschen Geld mit auf den Weg, und so schlenderte ich durch das lange Dorf hinaus. Ich hatte recht meine heimliche Freude, als ich da alle meine alten Bekannten und Kameraden rechts und links, wie gestern und vorgestern und immerdar, zur Arbeit hinausziehen, graben und pflügen sah, während ich so in die freie Welt hinausstrich. Ich rief den armen Leuten nach allen Seiten recht stolz und zufrieden »Adjes« zu, aber es kümmerte sich eben keiner sehr darum. Mir war es wie ein ewiger Sonntag im Gemüte. Und als ich endlich ins freie Feld hinauskam, da nahm ich meine liebe Geige vor und spielte und sang, auf der Landstraße fortgehend:

»Wem Gott will rechte Gunst erweisen,
Den schickt er in die weite Welt,
Dem will er seine Wunder weisen
In Berg und Wald und Strom und Feld.

Die Trägen, die zu Hause liegen,
Erquicket nicht das Morgenrot,
Sie wissen nur vom Kinderwiegen,
Von Sorgen, Last und Not um Brot.

Die Bächlein von den Bergen springen,
Die Lerchen schwirren hoch vor Lust.
Was sollt' ich nicht mit ihnen singen
Aus voller Kehl' und frischer Brust?

Den lieben Gott lass' ich nur walten;
Der Bächlein, Lerchen, Wald und Feld
Und Erd' und Himmel will erhalten,
Hat auch mein' Sach' aufs best' bestellt!«

Indem, wie ich mich so umsehe, kömmt ein köstlicher Reisewagen
ganz nahe an mich heran, der mochte wohl schon einige Zeit hinter
mir drein gefahren sein, ohne daß ich es merkte, weil mein Herz so
voller Klang war, denn es ging ganz langsam, und zwei vornehme
Damen steckten die Köpfe aus dem Wagen und hörten mir zu. Die
eine war besonders schön und jünger als die andere, aber eigentlich
gefielen sie mir alle beide. Als ich nun aufhörte zu singen, ließ die
ältere still halten und redete mich holdselig an: »Ei, lustiger Gesell,
Er weiß ja recht hübsche Lieder zu singen.« Ich nicht zu faul dagegen: »Euer Gnaden aufzuwarten, wüßt' ich noch viel schönere.«
Darauf fragte sie mich wieder: »Wohin wandert Er denn schon so
am frühen Morgen?« Da schämte ich mich, daß ich das selber nicht
wußte, und sagte dreist: »Nach Wien«; nun sprachen beide miteinander in einer fremden Sprache, die ich nicht verstand. Die jüngere
schüttelte einigemal mit dem Kopfe, die andere lachte aber in einem
fort und rief mir endlich zu: »Spring' Er nur hinten mit auf, wir
fahren auch nach Wien.« Wer war froher als ich! Ich machte eine
Reverenz und war mit einem Sprunge hinter dem Wagen, der Kutscher knallte, und wir flogen über die glänzende Straße fort, daß
mir der Wind am Hute pfiff.

Hinter mir gingen nun Dorf, Gärten und Kirchtürme unter, vor
mir neue Dörfer, Schlösser und Berge auf, unter mir Saaten, Büsche
und Wiesen bunt vorüberfliegend, über mir unzählige Lerchen in der
klaren blauen Luft – ich schämte mich, laut zu schreien, aber inner-
lichst jauchzte ich und strampelte und tanzte auf dem Wagentritt
herum, daß ich bald meine Geige verloren hätte, die ich unterm

Arme hielt. Wie aber denn die Sonne immer höher stieg, rings am Horizont schwere weiße Mittagswolken aufstiegen und alles in der Luft und auf der weiten Fläche so leer und schwül und still wurde über den leise wogenden Kornfeldern, da fiel mir erst wieder mein Dorf ein und mein Vater und unsere Mühle, wie es da so heimlich kühl war an dem schattigen Weiher und daß nun alles so weit, weit hinter mir lag. Mir war dabei so kurios zumute, als müßt' ich wieder umkehren; ich steckte meine Geige zwischen Rock und Weste, setzte mich voller Gedanken auf den Wagentritt hin und schlief ein.

Als ich die Augen aufschlug, stand der Wagen still unter hohen Lindenbäumen, hinter denen eine breite Treppe zwischen Säulen in ein prächtiges Schloß führte. Seitwärts durch die Bäume sah ich die Türme von Wien. Die Damen waren, wie es schien, längst ausgestiegen, die Pferde abgespannt. Ich erschrak sehr, da ich auf einmal so allein saß, und sprang geschwind in das Schloß hinein, da hörte ich von oben aus dem Fenster lachen.

In diesem Schlosse ging es mir wunderlich. Zuerst, wie ich mich in der weiten, kühlen Vorhalle umschaue, klopft mir jemand mit dem Stock auf die Schulter. Ich kehre mich schnell um, da steht ein großer Herr in Staatskleidern, ein breites Bandelier von Gold und Seide bis an die Hüften übergehängt, mit einem oben versilberten Stabe in der Hand und einer außerordentlich langen gebogenen kurfürstlichen Nase im Gesicht, breit und prächtig wie ein aufgeblasener Puter, der mich fragt, was ich hier will. Ich war ganz verblüfft und konnte vor Schreck und Erstaunen nichts hervorbringen. Darauf kamen mehrere Bediente die Treppe herauf und herunter gerannt, die sagten gar nichts, sondern sahen mich nur von oben bis unten an. Sodann kam eine Kammerjungfer (wie ich nachher hörte) gerade auf mich los und sagte, ich wäre ein scharmanter Junge und die gnädigste Herrschaft ließe mich fragen, ob ich hier als Gärtnerbursche dienen wollte? Ich griff nach der Weste; meine paar Groschen, weiß Gott, sie müssen beim Herumtanzen auf dem Wagen aus der Tasche gesprungen sein, waren weg, ich hatte nichts als mein Geigenspiel, für das mir überdies auch der Herr mit dem Stabe, wie er mir im Vorbeigehn sagte, nicht einen Heller geben wollte. Ich sagte daher in meiner Herzensangst zu der Kammerjungfer: »Ja«, noch immer die Augen von der Seite auf die unheimliche Gestalt gerichtet, die immerfort wie der Perpendikel einer Turmuhr in der Halle auf und ab wandelte und eben wieder majestätisch und schauerlich aus dem Hintergrunde heraufgezogen kam. Zuletzt kam endlich der Gärtner, brummte was von Gesindel und Bauernlümmel unterm Bart und führte mich nach dem Garten, während er mir unterwegs noch eine lange Predigt hielt: wie ich nur fein nüchtern und arbeitsam sein, nicht in der Welt herumvagieren, keine brotlosen Künste und unnützes Zeug treiben solle, da könnt' ich es mit der Zeit auch einmal zu was Rechtem bringen. – Es waren noch mehr sehr hübsche, gutgesetzte, nützliche Lehren, ich habe nur seitdem fast alles wieder vergessen. Überhaupt weiß ich eigentlich gar nicht recht, wie doch alles so gekommen war, ich sagte nur immerfort zu allem: »Ja« – denn mir war wie einem Vogel, dem die Flügel begossen worden sind. So war ich denn, Gott sei Dank, im Brote.

In dem Garten war schön leben, ich hatte täglich mein warmes Essen vollauf und mehr Geld, als ich zum Weine brauchte, nur hatte ich leider ziemlich viel zu tun. Auch die Tempel, Lauben und schönen grünen Gänge, das gefiel mir alles recht gut, wenn ich nur hätte ruhig drin herumspazieren können und vernünftig diskurieren, wie die Herren und Damen, die alle Tage dahin kamen. Sooft der Gärtner fort und ich allein war, zog ich sogleich mein kurzes Tabakspfeifchen heraus, setzte mich hin und sann auf schöne höfliche Redensarten, wie ich die eine junge schöne Dame, die mich in das Schloß mitbrachte, unterhalten wollte, wenn ich ein Kavalier wäre und mit ihr hier herumginge. Oder ich legte mich an schwülen Nachmittagen auf den Rücken hin, wenn alles so still war, daß man nur die Bienen summen hörte, und sah zu, wie über mir die Wolken nach meinem Dorfe zuflogen und die Gräser und Blumen sich hin und her bewegten, und gedachte an die Dame, und da geschah es denn oft, daß die schöne Frau mit der Gitarre oder einem Buche in der Ferne wirklich durch den Garten zog, so still, groß und freundlich wie ein Engelsbild, so daß ich nicht recht wußte, ob ich träumte oder wachte.

So sang ich auch einmal, wie ich eben bei einem Lusthause zur Arbeit vorbeiging, für mich hin:

> »Wohin ich geh' und schaue,
> In Feld und Wald und Tal,
> Vom Berg ins Himmelblaue,
> Vielschöne gnäd'ge Fraue,
> Grüß' ich dich tausendmal.«

Da seh' ich aus dem dunkelkühlen Lusthause zwischen den halbgeöffneten Jalousien und Blumen, die dort standen, zwei schöne, junge, frische Augen hervorfunkeln. Ich war ganz erschrocken, ich sang das Lied nicht aus, sondern ging, ohne mich umzusehen, fort an die Arbeit.

Abends, es war gerade an einem Sonnabend, und ich stand eben in der Vorfreude kommenden Sonntags mit der Geige im Gartenhause am Fenster und dachte noch an die funkelnden Augen, da kommt auf einmal die Kammerjungfer durch die Dämmerung dahergestrichen. »Da schickt Euch die vielschöne gnädige Frau was, das sollt Ihr auf ihre Gesundheit trinken. Eine gute Nacht auch!« Damit setzte sie mir fix eine Flasche Wein aufs Fenster und war sogleich wieder zwischen den Blumen und Hecken verschwunden wie eine Eidechse.

Ich aber stand noch lange vor der wundersamen Flasche und wußte nicht, wie mir geschehen war. Und hatte ich vorher lustig die Geige gestrichen, so spielt' und sang ich jetzt erst recht und sang das Lied von der schönen Frau ganz aus und alle meine Lieder, die ich nur wußte, bis alle Nachtigallen draußen erwachten und Mond und Sterne schon lange über dem Garten standen. Ja, das war einmal eine gute, schöne Nacht!

»Es wird keinem an der Wiege gesungen, was künftig aus ihm wird; eine blinde Henne findet manchmal auch ein Korn; wer zuletzt lacht, lacht am besten; unverhofft kommt oft; der Mensch denkt und Gott lenkt«, so meditier' ich, als ich am folgenden Tage wieder mit meiner Pfeife im Garten saß und es mir dabei, da ich so aufmerksam an mir heruntersah, fast vorkommen wollte, als wäre ich doch eigentlich ein rechter Lump. Ich stand nunmehr, ganz wider meine sonstige Gewohnheit, alle Tage sehr zeitig auf, eh' sich noch der Gärtner und die andern Arbeiter rührten. Da war es so wunderschön draußen im Garten. Die Blumen, die Springbrunnen, die Rosenbüsche und der ganze Garten funkelten von der Morgensonne wie lauter Gold und Edelstein. Und in den hohen Buchenalleen, da war es noch so still, kühl und andächtig wie in einer Kirche, nur die Vögel flatterten und pickten auf dem Sande. Gleich vor dem Schlosse, gerade unter den Fenstern, wo die schöne Frau wohnte, war ein blühender Strauch. Dorthin ging ich dann immer am frühesten Morgen und duckte mich hinter die Äste, um so nach den Fenstern zu sehen, denn mich im Freien zu produzieren, hatt' ich keine Courage. Da sah ich nun allemal die allerschönste Dame noch heiß und halb verschlafen im schneeweißen Kleid an das offene Fenster hervortreten. Bald flocht sie sich die dunkelbraunen Haare und ließ dabei die anmutig spielenden Augen über Busch und Garten ergehen, bald bog und band sie die Blumen, die vor ihrem Fenster standen, oder sie nahm auch die Gitarre in den weißen Arm und sang dazu so wundersam über den Garten hinaus, daß sich mir noch das Herz umwenden will vor Wehmut, wenn mir eins von den Liedern bisweilen einfällt – und ach, das alles ist schon lange her!

So dauerte das wohl über eine Woche. Aber das eine Mal, sie stand gerade wieder am Fenster, und alles war stille ringsumher, fliegt mir eine fatale Fliege in die Nase, und ich gebe mich an ein erschreckliches Niesen, das gar nicht enden will. Sie legt sich weit zum Fenster hinaus und sieht mich Ärmsten hinter dem Strauche lauschen. Nun schämte ich mich und kam viele Tage nicht hin.

Endlich wagte ich es wieder, aber das Fenster blieb diesmal zu, ich saß vier, fünf, sechs Morgen hinter dem Strauche, aber sie kam nicht wieder ans Fenster. Da wurde mir die Zeit lang, ich faßte mir ein Herz und ging nun alle Morgen frank und frei längs dem Schlosse unter allen Fenstern hin. Aber die liebe, schöne Frau blieb immer und immer aus. Eine Strecke weiter sah ich dann immer die andere Dame am Fenster stehen. Ich hatte sie sonst so genau noch niemals gesehen. Sie war wahrhaftig recht schön rot und dick und gar prächtig und hoffärtig anzusehn, wie eine Tulipane. Ich machte ihr immer ein tiefes Kompliment, und, ich kann nicht anders sagen, sie dankte mir jedesmal und nickte und blinzelte mit den Augen dazu ganz außerordentlich höflich. Nur ein einziges Mal glaub' ich gesehn zu haben, daß auch die Schöne an ihrem Fenster hinter der Gardine stand und versteckt hervorguckte.

Viele Tage gingen jedoch ins Land, ohne daß ich sie sah. Sie kam nicht mehr in den Garten, sie kam nicht mehr ans Fenster. Der Gärtner schalt mich einen faulen Bengel, ich war verdrüßlich, meine eigene Nasenspitze war mir im Wege, wenn ich in Gottes freie Welt hinaussah.

So lag ich eines Sonntags nachmittag im Garten und ärgerte mich, wie ich so in die blauen Wolken meiner Tabakspfeife hinaussah, daß ich mich nicht auf ein anderes Handwerk gelegt und mich also morgen nicht auch wenigstens auf einen blauen Montag zu freuen hätte. Die andern Bursche waren indes alle wohlausstaffiert nach den Tanzböden in der nahen Vorstadt hinausgezogen. Da wallte und wogte alles im Sonntagsputze in der warmen Luft zwischen den lichten Häusern und wandernden Leierkasten schwärmend hin und zurück. Ich aber saß wie eine Rohrdommel im Schilfe eines einsamen Weihers im Garten und schaukelte mich auf dem Kahne, der dort angebunden war, während die Vesperglocken aus der Stadt über den Garten herüberschallten und die Schwäne auf dem Wasser langsam neben mir hin und her zogen. Mir war zum Sterben bange.

Währenddes hörte ich von weitem allerlei Stimmen, lustiges Durcheinandersprechen und Lachen, immer näher und näher, dann schimmerten rot und weiße Tücher, Hüte und Federn durchs Grüne, auf einmal kommt ein heller, lichter Haufen von jungen Herren und Damen vom Schlosse über die Wiese auf mich los, meine beiden Damen mitten unter ihnen. Ich stand auf und wollte weggehen, da erblickte mich die ältere von den schönen Damen. »Ei, das ist ja wie gerufen«, rief sie mir mit lachendem Munde zu, »fahr' Er uns doch an das jenseitige Ufer über den Teich!« Die Damen stiegen nun eine nach der andern vorsichtig und furchtsam in den Kahn, die Herren halfen ihnen dabei und machten sich ein wenig groß mit ihrer Kühnheit auf dem Wasser. Als sich darauf die Frauen alle auf die Seitenbänke gelagert hatten, stieß ich vom Ufer. Einer von den jungen Herren, der ganz vorn stand, fing unmerklich an zu schaukeln. Da wandten sich die Damen furchtsam hin und her, einige schrien gar. Die schöne Frau, welche eine Lilie in der Hand hielt, saß dicht am Bord des Schiffleins und sah so still lächelnd in die klaren Wellen hinunter, die sie mit der Lilie berührte, so daß ihr ganzes Bild zwischen den widerscheinenden Wolken und Bäumen im Wasser noch einmal zu sehen war, wie ein Engel, der leise durch den tiefen blauen Himmelsgrund zieht.

Wie ich noch so auf sie hinsehe, fällt's auf einmal der andern lustigen Dicken von meinen zwei Damen ein, ich sollte ihr während der Fahrt eins singen. Geschwind dreht sich ein sehr zierlicher junger Herr mit einer Brille auf der Nase, der neben ihr saß, zu ihr herum, küßt ihr sanft die Hand und sagt: »Ich danke Ihnen für den sinnigen Einfall! Ein Volkslied, *gesungen* vom Volk in freiem Feld und Wald, ist ein Alpenröslein auf der Alpe selbst – die Wunderhörner sind nur Herbarien –, ist die Seele der Nationalseele.« Ich aber sagte, ich wisse nichts zu singen, was für solche Herrschaften schön genug wäre. Da sagte die schnippische Kammerjungfer, die mit einem Korbe voll Tassen und Flaschen hart neben mir stand und die ich bis jetzt noch gar nicht bemerkt hatte: »Weiß Er doch ein recht hübsches Liedchen von einer vielschönen Fraue.« – »Ja, ja, das sing' Er nur recht dreist weg«, rief darauf sogleich die Dame wieder. Ich wurde über und über rot. Indem blickte auch die schöne Frau auf einmal vom Wasser auf und sah mich an, daß es mir durch Leib und Seele ging. Da besann ich mich nicht lange, faßt' ein Herz und sang so recht aus voller Brust und Lust:

»Wohin ich geh' und schaue,
In Feld und Wald und Tal,
Vom Berg hinab in die Aue:
Vielschöne, hohe Fraue,
Grüß' ich dich tausendmal.

In meinem Garten find' ich
Viel Blumen, schön und fein,
Viel Kränze wohl draus wind' ich,
Und tausend Gedanken bind' ich
Und Grüße mit darein.

Ihr darf ich keinen reichen,
Sie ist zu hoch und schön,
Die müssen alle verbleichen,
Die Liebe nur ohnegleichen
Bleibt ewig im Herzen stehn.

Ich schein' wohl froher Dinge
Und schaffe auf und ab,
Und ob das Herz zerspringe,
Ich grabe fort und singe
Und grab' mir bald mein Grab.«

Wir stießen ans Land, die Herrschaften stiegen alle aus, viele von den jungen Herren hatten mich, ich bemerkt' es wohl, während ich sang, mit listigen Mienen und Flüstern verspottet vor den Damen. Der Herr mit der Brille faßte mich im Weggehen bei der Hand und sagte mir, ich weiß selbst nicht mehr was, die ältere von meinen Damen sah mich sehr freundlich an. Die schöne Frau hatte während meines ganzen Liedes die Augen niedergeschlagen und ging nun auch fort und sagte gar nichts. Mir aber standen die Tränen in den Augen, schon wie ich noch sang, das Herz wollte mir zerspringen von dem Liede vor Scham und Schmerz, es fiel mir jetzt auf einmal alles recht ein, wie *sie* so schön ist und ich so arm bin und verspottet und verlassen von der Welt – und als sie alle hinter den Büschen verschwunden waren, da konnt' ich mich nicht länger halten, ich warf mich in das Gras hin und weinte bitterlich.

Zweites Kapitel

Dicht am herrschaftlichen Garten ging die Landstraße vorüber, nur durch eine hohe Mauer von derselben geschieden. Ein gar sauberes Zollhäuschen mit rotem Ziegeldache war da erbaut und hinter demselben ein kleines, buntumzäuntes Blumengärtchen, das durch eine Lücke in der Mauer des Schloßgartens hindurch an den schattigsten und verborgensten Teil des letzteren stieß. Dort war eben der Zolleinnehmer gestorben, der das alles sonst bewohnte. Da kam eines Morgens frühzeitig, da ich noch im tiefsten Schlafe lag, der Schreiber vom Schlosse zu mir und rief mich schleunigst zum Herrn Amtmann. Ich zog mich geschwind an und schlenderte hinter dem lustigen Schreiber her, der unterwegs bald da, bald dort eine Blume abbrach und vorn an den Rock steckte, bald mit seinem Spazierstöckchen künstlich in der Luft herumfocht und allerlei zu mir in den Wind hineinparlierte, wovon ich aber nichts verstand, weil mir die Augen und Ohren noch voller Schlaf lagen. Als ich in die Kanzlei trat, wo es noch gar nicht recht Tag war, sah der Amtmann hinter einem ungeheuren Tintenfasse und Stößen von Papier und Büchern und einer ansehnlichen Perücke, wie die Eule aus ihrem Nest, auf mich und hob an: »Wie heißt Er? Woher ist Er? Kann Er schreiben, lesen und rechnen?« Da ich das bejahte, versetzte er: »Na, die gnädige Herrschaft hat Ihm, in Betrachtung Seiner guten Aufführung und besonderen Meriten, die ledige Einnehmerstelle zugedacht.« Ich überdachte in der Geschwindigkeit für mich meine bisherige Aufführung und Manieren, und ich mußte gestehen, ich fand am Ende selber, daß der Amtmann recht hatte. Und so war ich denn wirklich Zolleinnehmer, ehe ich mich's versah.

Ich bezog nun sogleich meine neue Wohnung und war in kurzer Zeit eingerichtet. Ich hatte noch mehrere Gerätschaften gefunden, die der selige Einnehmer seinem Nachfolger hinterlassen, unter andern einen prächtigen roten Schlafrock mit gelben Punkten, grüne Pantoffeln, eine Schlafmütze und einige Pfeifen mit langen Röhren. Das alles hatte ich mir schon einmal gewünscht, als ich noch zu Hause war, wo ich immer unsern Pfarrer so bequem herumgehen sah. Den ganzen Tag (zu tun hatte ich weiter nichts) saß ich daher auf dem Bänkchen vor meinem Hause in Schlafrock und Schlafmütze, rauchte Tabak aus dem längsten Rohre, das ich von dem seligen Einnehmer vorgefunden hatte, und sah zu, wie die Leute auf der Landstraße hin und her gingen, fuhren und ritten. Ich wünschte nur immer, daß auch einmal ein paar Leute aus meinem Dorfe, die immer sagten, aus mir würde mein Lebtag nichts, hier vorüberkommen und mich so sehen möchten. – Der Schlafrock stand mir schön zu Gesichte, und überhaupt das alles behagte mir sehr gut. So saß ich denn da und dachte mir mancherlei hin und her, wie aller Anfang schwer ist, wie das vornehmere Leben doch eigentlich recht bequem sei, und faßte heimlich den Entschluß, nunmehr alles Reisen zu lassen, auch Geld zu sparen wie die andern und es mit der Zeit gewiß zu etwas Großem in der Welt zu bringen. Inzwischen vergaß ich über meinen Entschlüssen, Sorgen und Geschäften die allerschönste Frau keineswegs.

Die Kartoffeln und anderes Gemüse, das ich in meinem kleinen Gärtchen fand, warf ich hinaus und bebaute es ganz mit den auserlesensten Blumen, worüber mich der Portier vom Schlosse mit der großen kurfürstlichen Nase, der, seitdem ich hier wohnte, oft zu mir kam und mein intimer Freund geworden war, bedenklich von der Seite ansah und mich für einen hielt, den sein plötzliches Glück verrückt gemacht hätte. Ich aber ließ mich das nicht anfechten. Denn nicht weit von mir im herrschaftlichen Garten hörte ich feine Stimmen sprechen, unter denen ich die meiner schönen Frau zu erkennen meinte, obgleich ich wegen des dichten Gebüschs niemand sehen konnte. Da band ich denn alle Tage einen Strauß von den schönsten Blumen, die ich hatte, stieg jeden Abend, wenn es dunkel wurde, über die Mauer und legte ihn auf den steinernen Tisch hin, der dort inmitten einer Laube stand; und jeden Abend, wenn ich den neuen Strauß brachte, war der alte von dem Tische fort.

Eines Abends war die Herrschaft auf die Jagd geritten; die Sonne ging eben unter und bedeckte das ganze Land mit Glanz und Schimmer, die Donau schlängelte sich prächtig wie von lauter Gold und Feuer in die weite Ferne, von allen Bergen bis tief ins Land hinein sangen und jauchzten die Winzer. Ich saß mit dem Portier auf dem Bänkchen vor meinem Hause und freute mich in der lauen Luft, wie der lustige Tag so langsam vor uns verdunkelte und verhallte. Da ließen sich auf einmal die Hörner der zurückkehrenden Jäger von ferne vernehmen, die von den Bergen gegenüber einander von Zeit zu Zeit lieblich Antwort gaben. Ich war recht im innersten Herzen vergnügt und sprang auf und rief wie bezaubert und verzückt vor Lust: »Nein, das ist mir doch ein Metier, die edle Jägerei!« Der Portier aber klopfte sich ruhig die Pfeife aus und sagte: »Das denkt Ihr Euch just so. Ich habe es auch mitgemacht, man verdient sich kaum die Sohlen, die man sich abläuft; und Husten und Schnupfen wird man erst gar nicht los, das kommt von den ewig nassen Füßen.« Ich weiß nicht, mich packte da ein närrischer Zorn, daß ich ordentlich am ganzen Leibe zitterte. Mir war auf einmal der ganze Kerl mit seinem langweiligen Mantel, die ewigen Füße, sein Tabaksschnupfen, die große Nase und alles abscheulich. Ich faßte ihn, wie außer mir, bei der Brust und sagte: »Portier, jetzt schert Ihr Euch nach Hause, oder ich prügle Euch hier sogleich durch!« Den Portier überfiel bei diesen Worten seine alte Meinung, ich wäre verrückt geworden. Er sah mich bedenklich und mit heimlicher Furcht an, machte sich, ohne ein Wort zu sprechen, von mir los und ging, immer noch unheimlich nach mir zurückblickend, mit langen Schritten nach dem Schlosse, wo er atemlos aussagte, ich sei nun wirklich rasend geworden.

Ich aber mußte am Ende laut auflachen und war herzlich froh, den superklugen Gesellen los zu sein, denn es war gerade die Zeit, wo ich den Blumenstrauß immer in die Laube zu legen pflegte. Ich sprang auch heute schnell über die Mauer und ging eben auf das steinerne Tischchen los, als ich in einiger Entfernung Pferdetritte vernahm. Entspringen konnt' ich nicht mehr, denn schon kam meine schöne gnädige Frau selber, in einem grünen Jagdhabit und mit nickenden Federn auf dem Hute, langsam und, wie es schien, in tiefen Gedanken die Allee herabgeritten. Es war mir nicht anders zumute, als da ich sonst in den alten Büchern bei meinem Vater von der schönen Magelone gelesen, wie sie so zwischen den immer näher schallenden Waldhornsklängen und wechselnden Abendlichtern unter den hohen Bäumen hervorkam – ich konnte nicht vom Fleck. Sie aber erschrak heftig, als sie mich auf einmal gewahr wurde, und hielt fast unwillkürlich still. Ich war wie betrunken vor Angst, Herzklopfen und großer Freude, und da ich bemerkte, daß sie wirklich meinen Blumenstrauß von gestern an der Brust hatte, konnte ich mich nicht länger halten, sondern sagte ganz verwirrt: »Schönste gnädige Frau, nehmt auch noch diesen Blumenstrauß von mir und alle Blumen aus meinem Garten und alles, was ich habe. Ach, könnt' ich nur für Euch ins Feuer springen!« Sie hatte mich gleich anfangs so ernsthaft und fast böse angeblickt, daß es mir durch Mark und Bein ging, dann aber hielt sie, solange ich redete, die Augen tief niedergeschlagen. Soeben ließen sich einige Reiter und Stimmen im Gebüsch hören. Da ergriff sie schnell den Strauß aus meiner Hand und war bald, ohne ein Wort zu sagen, am andern Ende des Bogenganges verschwunden.

Seit diesem Abend hatte ich weder Ruh' noch Rast mehr. Es war mir beständig zumute wie sonst immer, wenn der Frühling anfangen sollte, so unruhig und fröhlich, ohne daß ich wußte, warum, als stünde mir ein großes Glück oder sonst etwas Außerordentliches bevor. Besonders das fatale Rechnen wollte mir nun erst gar nicht mehr von der Hand, und ich hatte, wenn der Sonnenschein durch den Kastanienbaum vor dem Fenster grüngolden auf die Ziffern fiel und so fix vom Transport bis zum Latus und wieder hinauf und hinab addierte, gar seltsame Gedanken dabei, so daß ich manchmal ganz verwirrt wurde und wahrhaftig nicht bis drei zählen konnte. Denn die Acht kam mir immer vor wie meine dicke enggeschnürte Dame mit dem breiten Kopfputz, die böse Sieben war gar wie ein ewig rückwärts -zeigender Wegweiser oder Galgen. Am meisten Spaß machte mir noch die Neun, die sich mir so oft, eh' ich mich's versah, lustig als Sechs auf den Kopf stellte, während die Zwei wie ein Fragezeichen so pfiffig dreinsah, als wollte sie mich fragen: »Wo soll das am Ende noch hinaus mit dir, du arme Null? Ohne *sie*, diese schlanke Eins und alles, bleibst du doch ewig nichts!«

Auch das Sitzen draußen vor der Tür wollte mir nicht mehr behagen. Ich nahm mir, um es bequemer zu haben, einen Schemel mit heraus und streckte die Füße darauf, ich flickte ein altes Parasol vom Einnehmer und steckte es gegen die Sonne wie ein chinesisches Lusthaus über mich. Aber es half nichts. Es schien mir, wie ich so saß und rauchte und spekulierte, als würden mir allmählich die Beine immer länger vor Langeweile und die Nase wüchse mir vom Nichtstun, wenn ich so stundenlang an ihr heruntersah. Und wenn dann manchmal noch vor Tagesanbruch eine Extrapost vorbeikam und ich trat halb verschlafen in die kühle Luft hinaus und ein niedliches Gesichtchen, von dem man in der Dämmerung nur die funkelnden Augen sah, bog sich neugierig zum Wagen hervor und bot mir freundlich einen guten Morgen, in den Dörfern aber ringsum krähten die Hähne so frisch über die leise wogenden Kornfelder herüber, und zwischen den Morgenstreifen hoch am Himmel schweiften schon einzelne zu früh erwachte Lerchen, und der Postillon nahm dann sein Posthorn und fuhr weiter und blies und blies – da stand ich lange und sah dem Wagen nach, und es war mir nicht anders, als müßt' ich nur sogleich mit fort, weit, weit in die Welt.

Meine Blumensträuße legte ich indes immer noch, sobald die Sonne unterging, auf den steinernen Tisch in der dunklen Laube. Aber das war es eben: Damit war es nun aus seit jenem Abend. Kein Mensch kümmerte sich darum: Sooft ich des Morgens frühzeitig nachsah, lagen die Blumen noch immer da wie gestern und sahen mich mit ihren verwelkten, niederhängenden Köpfchen und daraufstehenden Tautropfen ordentlich betrübt an, als ob sie weinten. Das verdroß mich sehr. Ich band gar keinen Strauß mehr. In meinem Garten mochte nun auch das Unkraut treiben, wie es wollte, und die Blumen ließ ich ruhig stehn und wachsen, bis der Wind die Blätter verwehte. War mir's doch ebenso wild und bunt und verstört im Herzen.

In diesen kritischen Zeitläuften geschah es denn, daß einmal, als ich eben zu Hause im Fenster liege und verdrüßlich in die leere Luft hinaussehe, die Kammerjungfer vom Schlosse über die Straße dahergetrippelt kommt. Sie lenkte, da sie mich erblickte, schnell zu mir ein und blieb am Fenster stehen. »Der gnädige Herr ist gestern von seiner Reise zurückgekommen«, sagte sie eifrig. »So?« entgegnete ich verwundert – denn ich hatte mich schon seit einigen Wochen um nichts bekümmert und wußte nicht einmal, daß der Herr auf Reisen war –, »da wird seine Tochter, die junge gnädige Frau, auch große Freude gehabt haben.« Die Kammerjungfer sah mich kurios von oben bis unten an, so daß ich mich ordentlich selber besinnen mußte, ob ich was Dummes gesagt hätte. »Er weiß aber auch gar nichts«, sagte sie endlich und rümpfte das kleine Näschen. »Nun«, fuhr sie fort, »es soll heute abend dem Herrn zu Ehren Tanz im Schlosse sein und Maskerade. Meine gnädige Frau wird auch maskiert sein, als Gärtnerin – versteht Er auch recht –, als Gärtnerin. Nun hat die gnädige Frau gesehen, daß Er besonders schöne Blumen hat in Seinem Garten.« – »Das ist seltsam«, dachte ich bei mir selbst, »man sieht doch jetzt fast keine Blume mehr vor Unkraut.« Sie aber fuhr fort: »Da nun die gnädige Frau schöne Blumen zu ihrem Anzuge braucht, aber ganz frische, die eben vom Beete kommen, so soll Er ihr welche bringen und damit heute abend, wenn's dunkel geworden ist, unter dem großen Birnbaum im Schloßgarten warten, da wird sie dann kommen und die Blumen abholen.«

Ich war ganz verblüfft vor Freude über diese Nachricht und lief in meiner Entzückung vom Fenster zu der Kammerjungfer hinaus.

»Pfui, der garstige Schlafrock!« rief diese aus, da sie mich auf einmal so in meinem Aufzuge im Freien sah. Das ärgerte mich, ich wollte auch nicht dahinter bleiben in der Galanterie und machte einige artige Kapriolen, um sie zu erhaschen und zu küssen. Aber unglücklicherweise verwickelte sich mir dabei der Schlafrock, der mir viel zu lang war, unter den Füßen, und ich fiel der Länge nach auf die Erde. Als ich mich wieder zusammenraffte, war die Kammerjungfer schon weit fort, und ich hörte sie noch von fern lachen, daß sie sich die Seiten halten mußte.

Nun aber hatt' ich was zu sinnen und mich zu freuen. *Sie* dachte ja noch immer an mich und meine Blumen. Ich ging in mein Gärtchen und riß hastig alles Unkraut von den Beeten und warf es hoch über meinen Kopf weg in die schimmernde Luft, als zög' ich alle Übel und Melancholie mit der Wurzel heraus. Die Rosen waren nun wieder wie *ihr* Mund, die himmelblauen Winden wie *ihre* Augen, die schneeweiße Lilie mit ihrem schwermütig gesenkten Köpfchen sah ganz aus wie *sie*. Ich legte alle sorgfältig in ein Körbchen zusammen. Es war ein stiller, schöner Abend und kein Wölkchen am Himmel. Einzelne Sterne traten schon am Firmament hervor, von weitem rauschte die Donau über die Felder herüber, in den hohen Bäumen im herrschaftlichen Garten neben mir sangen unzählige Vögel lustig durcheinander. Ach, ich war so glücklich!

Als endlich die Nacht hereinbrach, nahm ich mein Körbchen an den Arm und machte mich auf den Weg nach dem großen Garten. In dem Körbchen lag alles so bunt und anmutig durcheinander, weiß, rot, blau und duftig, daß mir ordentlich das Herz lachte, wenn ich hineinsah.

Ich ging voller fröhlicher Gedanken bei dem schönen Mondschein durch die stillen, reinlich mit Sand bestreuten Gänge über die kleinen weißen Brücken, unter denen die Schwäne eingeschlafen auf dem Wasser saßen, an den zierlichen Lauben und Lusthäusern vorüber. Den großen Birnbaum hatte ich gar bald aufgefunden, denn es war derselbe, unter dem ich sonst, als ich noch Gärtnerbursche war, an schwülen Nachmittagen gelegen.

Hier war es so einsam dunkel. Nur eine hohe Espe zitterte und flüsterte mit ihren silbernen Blättern in einem fort. Vom Schlosse schallte manchmal die Tanzmusik herüber. Auch Menschenstimmen hörte ich zuweilen im Garten, die kamen oft ganz nahe an mich heran, dann wurde es auf einmal wieder ganz still.

Mir klopfte das Herz. Es war mir schauerlich und seltsam zumute, als wenn ich jemand bestehlen wollte. Ich stand lange Zeit stockstill an den Baum gelehnt und lauschte nach allen Seiten, da aber immer niemand kam, konnt' ich es nicht länger aushalten. Ich hing mein Körbchen an den Arm und kletterte schnell auf den Birnbaum hinauf, um wieder im Freien Luft zu schöpfen.

Da droben schallte mir die Tanzmusik erst recht über die Wipfel entgegen. Ich übersah den ganzen Garten und gerade in die hellerleuchteten Fenster des Schlosses hinein. Dort drehten sich die Kronleuchter langsam wie Kränze von Sternen, unzählige geputzte Herren und Damen, wie in einem Schattenspiel, wogten und walzten und wirrten da bunt und unkenntlich durcheinander, manchmal legten sich welche ins Fenster und sahen hinunter in den Garten. Draußen vor dem Schlosse aber waren der Rasen, die Sträucher und die Bäume von den vielen Lichtern aus dem Saale wie vergoldet, so daß ordentlich die Blumen und die Vögel aufzuwachen schienen. Weiterhin um mich herum und hinter mir lag der Garten so schwarz und still.

»Da tanzt *sie* nun«, dacht' ich in dem Baume droben bei mir selber, »und hat gewiß lange dich und deine Blumen wieder vergessen. Alles ist so fröhlich, um dich kümmert sich kein Mensch. Und so geht es mir überall und immer. Jeder hat sein Plätzchen auf der Erde ausgesteckt, hat seinen warmen Ofen, seine Tasse Kaffee, seine Frau, sein Glas Wein zu Abend und ist so recht zufrieden; selbst dem Portier ist ganz wohl in seiner langen Haut. Mir ist's nirgends recht. Es ist, als wäre ich überall eben zu spät gekommen, als hätte die ganze Welt gar nicht auf mich gerechnet.«

Wie ich eben so philosophiere, höre ich auf einmal unten im Grase etwas einherrascheln. Zwei feine Stimmen sprachen ganz nahe und leise miteinander. Bald darauf bogen sich die Zweige in dem Gesträuche auseinander, und die Kammerjungfer steckte ihr kleines Gesichtchen, sich nach allen Seiten umsehend, zwischen der Laube hindurch. Der Mondschein funkelte recht auf ihren pfiffigen Augen, wie sie hervorguckten. Ich hielt den Atem an mich und blickte unverwandt hinunter. Es dauerte auch nicht lange, so trat wirklich die Gärtnerin, ganz so wie mir sie die Kammerjungfer gestern beschrieben hatte, zwischen den Bäumen heraus. Mein Herz klopfte mir zum Zerspringen. Sie aber hatte eine Larve vor und sah sich, wie mir schien, verwundert auf dem Platze um. Da wollt's mir vorkommen, als wäre sie gar nicht recht schlank und niedlich. Endlich trat sie ganz nahe an den Baum und nahm die Larve ab. Es war wahrhaftig die andere ältere gnädige Frau!

Wie froh war ich nun, als ich mich vom ersten Schreck erholt hatte, daß ich mich hier oben in Sicherheit befand. »Wie in aller Welt«, dachte ich, »kommt *die* nur jetzt hierher? Wenn nun die liebe schöne gnädige Frau die Blumen abholt – das wird eine schöne Geschichte werden!« Ich hätte am Ende weinen mögen vor Ärger über den ganzen Spektakel.

Indem hub die verkappte Gärtnerin unten an: »Es ist so stickend heiß droben im Saale, ich mußte gehen, mich ein wenig abzukühlen in der freien Natur.« Dabei fächelte sie sich mit der Larve in einem fort und blies die Luft von sich. Bei dem hellen Mondschein konnt' ich deutlich erkennen, wie ihr die Flechsen am Halse ordentlich aufgeschwollen waren; sie sah ganz erbost aus und ziegelrot im Gesicht. Die Kammerjungfer suchte unterdes hinter allen Hecken herum, als hätte sie eine Stecknadel verloren.

»Ich brauche so notwendig noch frische Blumen zu meiner Maske«, fuhr die Gärtnerin von neuem fort, »wo er auch stecken mag!« Die Kammerjungfer suchte und kicherte dabei immerfort heimlich in sich selbst hinein. »Sagtest du was, Rosette?« fragte die Gärtnerin spitzig. »Ich sage, was ich immer gesagt habe«, erwiderte die Kammerjungfer und machte ein ganz ernsthaftes treuherziges Gesicht, »der ganze Einnehmer ist und bleibt ein Lümmel, er liegt gewiß irgendwo hinter einem Strauche und schläft.«

Mir zuckte es in allen meinen Gliedern, herunterzuspringen und meine Reputation zu retten – da hörte man auf einmal ein großes Pauken und Musizieren und Lärmen vom Schlosse her.

Nun hielt sich die Gärtnerin nicht länger. »Da bringen die Menschen«, fuhr sie verdrüßlich auf, »dem Herrn das Vivat. Komm, man wird uns vermissen!« Und hiermit steckte sie die Larve schnell vor und ging wütend mit der Kammerjungfer nach dem Schlosse zu fort. Die Bäume und Sträucher wiesen kurios, wie mit langen Nasen und Fingern, hinter ihr drein, der Mondschein tanzte noch fix, wie über eine Klaviatur, über ihre breite Taille auf und nieder, und so nahm sie, so recht wie ich auf dem Theater manchmal die Sängerinnen gesehn, unter Trompeten und Pauken schnell ihren Abzug.

Ich aber wußte in meinem Baume droben eigentlich gar nicht recht, wie mir geschehen, und richtete nunmehr meine Augen unverwandt auf das Schloß hin; denn ein Kreis hoher Windlichter unten an den Stufen des Einganges warf dort einen seltsamen Schein über die blitzenden Fenster und weit in den Garten hinein. Es war die Dienerschaft, die soeben ihrer jungen Herrschaft ein Ständchen brachte. Mitten unter ihnen stand der prächtig aufgeputzte Portier wie ein Staatsminister vor einem Notenpulte und arbeitete sich emsig an einem Fagotte ab.

Wie ich mich soeben zurechtsetzte, um der schönen Serenade zuzuhören, gingen auf einmal oben auf dem Balkon des Schlosses die Flügeltüren auf. Ein hoher Herr, schön und stattlich in Uniform und mit vielen funkelnden Sternen, trat auf den Balkon heraus, und an seiner Hand – die schöne junge gnädige Frau, in ganz weißem Kleide, wie eine Lilie in der Nacht, oder wie wenn der Mond über das klare Firmament zöge.

Ich konnte keinen Blick von dem Platze verwenden, und Garten, Bäume und Felder gingen unter vor meinen Sinnen, wie sie so wundersam beleuchtet von den Fackeln hoch und schlank dastand und bald anmutig mit dem schönen Offizier sprach, bald wieder freundlich zu den Musikanten herunternickte. Die Leute unten waren außer sich vor Freude, und ich hielt mich am Ende auch nicht mehr und schrie immer aus Leibeskräften Vivat mit.

Als sie aber bald darauf wieder von dem Balkon verschwand, unten eine Fackel nach der andern verlösche und die Notenpulte weggeräumt wurden und nun der Garten ringsumher auch wieder finster wurde und rauschte wie vorher – da merkt' ich erst alles –, da fiel es mir auf einmal aufs Herz, daß mich wohl eigentlich nur die Tante mit den Blumen bestellt hatte, daß die Schöne gar nicht an mich dachte und lange verheiratet ist und daß ich selber ein großer Narr war.

Alles das versenkte mich recht in einen Abgrund von Nachsinnen. Ich wickelte mich, gleich einem Igel, in die Stacheln meiner eigenen Gedanken zusammen; vom Schlosse schallte die Tanzmusik nur noch seltener herüber, die Wolken wanderten einsam über den dunklen Garten weg. Und so saß ich auf dem Baume droben, wie die Nachteule, in den Ruinen meines Glücks die ganze Nacht hindurch.

Die kühle Morgenluft weckte mich endlich aus meinen Träumereien. Ich erstaunte ordentlich, wie ich so auf einmal um mich her blickte. Musik und Tanz war lange vorbei, im Schlosse und rings um das Schloß herum auf dem Rasenplatze und den steinernen Stufen und Säulen sah alles so still, kühl und feierlich aus; nur der Springbrunnen vor dem Eingange plätscherte einsam in einem fort. Hin und her in den Zweigen neben mir erwachten schon die Vögel, schüttelten ihre bunten Federn und sahen, die kleinen Flügel dehnend, neugierig und verwundert ihren seltsamen Schlafkameraden an. Fröhlich schweifende Morgenstrahlen funkelten über den Garten weg auf meine Brust.

Da richtete ich mich in meinem Baume auf und sah seit langer Zeit zum ersten Male wieder einmal so recht weit in das Land hinaus, wie da schon einzelne Schiffe auf der Donau zwischen den Weinbergen herabfuhren und die noch leeren Landstraßen wie

Brücken über das schimmernde Land sich fern über die Berge und Täler hinausschwangen.

Ich weiß nicht, wie es kam – aber mich packte da auf einmal wieder meine ehemalige Reiselust: alle die alte Wehmut und Freude und große Erwartung. Mir fiel dabei zugleich ein, wie nun die schöne Frau droben auf dem Schlosse zwischen Blumen und unter seidnen Decken schlummerte und ein Engel bei ihr auf dem Bette säße in der Morgenstille. »Nein«, rief ich aus, »fort muß ich von hier und immer fort, so weit als der Himmel blau ist!«

Und hiermit nahm ich mein Körbchen und warf es hoch in die Luft, so daß es recht lieblich anzusehen war, wie die Blumen zwischen den Zweigen und auf dem grünen Rasen unten bunt umherlagen. Dann stieg ich selber schnell herunter und ging durch den stillen Garten auf meine Wohnung zu. Gar oft blieb ich da noch stehen auf manchem Plätzchen, wo ich sie sonst wohl einmal gesehen oder im Schatten liegend an sie gedacht hatte.

In und um mein Häuschen sah alles noch so aus, wie ich es gestern verlassen hatte. Das Gärtchen war geplündert und wüst, im Zimmer drin lag noch das große Rechnungsbuch aufgeschlagen, meine Geige, die ich schon fast ganz vergessen hatte, hing verstaubt an der Wand. Ein Morgenstrahl aber aus dem gegenüberstehenden Fenster fuhr gerade blitzend über die Saiten. Das gab einen rechten Klang in meinem Herzen. »Ja«, sagt' ich, »komm nur her, du getreues Instrument! Unser Reich ist nicht von dieser Welt!«

Und so nahm ich die Geige von der Wand, ließ Rechnungsbuch, Schlafrock, Pantoffeln, Pfeifen und Parasol liegen und wanderte, arm wie ich gekommen war, aus meinem Häuschen und auf der glänzenden Landstraße von dannen.

Ich blickte noch oft zurück; mir war seltsam zumute, so traurig und doch auch wieder so überaus fröhlich, wie ein Vogel, der aus seinem Käfig ausreißt. Und als ich schon eine weite Strecke gegangen war, nahm ich draußen im Freien meine Geige vor und sang:

> »Den lieben Gott lass' ich nur walten;
> Der Bächlein, Lerchen, Wald und Feld
> Und Erd' und Himmel tut erhalten,
> Hat auch mein' Sach' aufs best' bestellt!«

Das Schloß, der Garten und die Türme von Wien waren schon hinter mir im Morgenduft versunken, über mir jubilierten unzählige

Lerchen hoch in der Luft; so zog ich zwischen den grünen Bergen und an lustigen Städten und Dörfern vorbei gen Italien hinunter.

Drittes Kapitel

Aber das war nun schlimm! Ich hatte noch gar nicht daran gedacht, daß ich eigentlich den rechten Weg nicht wußte. Auch war ringsumher kein Mensch zu sehen in der stillen Morgenstunde, den ich hätte fragen können, und nicht weit von mir teilte sich die Landstraße in viele neue Landstraßen, die gingen weit, weit über die höchsten Berge fort, als führten sie aus der Welt hinaus, so daß mir ordentlich schwindelte, wenn ich recht hinsah.

Endlich kam ein Bauer des Weges daher, der, glaub' ich, nach der Kirche ging, da es heut eben Sonntag war, in einem altmodischen Überrock mit großen silbernen Knöpfen und einem langen spanischen Rohr mit einem sehr massiven silbernen Stockknopf darauf, der schon von weitem in der Sonne funkelte. Ich frug ihn sogleich mit vieler Höflichkeit: »Können Sie mir nicht sagen, wo der Weg nach Italien geht?« Der Bauer blieb stehen, sah mich an, besann sich dann mit weit vorgeschobener Unterlippe und sah mich wieder an. Ich sagte noch einmal: »Nach Italien, wo die Pomeranzen wachsen.« – »Ach, was gehn mich Seine Pomeranzen an!« sagte der Bauer da und schritt wacker wieder weiter. Ich hätte dem Manne mehr Konduite zugetraut, denn er sah recht stattlich aus.

Was war nun zu machen? Wieder umkehren und in mein Dorf zurückgehn? Da hätten die Leute mit den Fingern auf mich gewiesen, und die Jungen wären um mich herumgesprungen: »Ei tausend Willkommen aus der Welt! Wie sieht es denn aus in der Welt? Hat Er uns nicht Pfefferkuchen mitgebracht aus der Welt?« Der Portier mit der kurfürstlichen Nase, welcher überhaupt viele Kenntnisse von der Weltgeschichte hatte, sagte oft zu mir: »Wertgeschätzter Herr Einnehmer! Italien ist ein schönes Land, da sorgt der liebe Gott für alles, da kann man sich im Sonnenschein auf den Rücken legen, so wachsen einem die Rosinen ins Maul, und wenn einen die Tarantel beißt, so tanzt man mit ungemeiner Gelenkigkeit, wenn man auch sonst nicht tanzen gelernt hat.« – »Nein, nach Italien, nach Italien!« rief ich voller Vergnügen aus und rannte, ohne an die verschiedenen Wege zu denken, auf der Straße fort, die mir eben vor die Füße kam.

Als ich eine Strecke so fortgewandert war, sah ich rechts von der

Straße einen sehr schönen Baumgarten, wo die Morgensonne so lustig zwischen den Stämmen und Wipfeln hindurchschimmerte, daß es aussah, als wäre der Rasen mit goldenen Teppichen belegt. Da ich keinen Menschen erblickte, stieg ich über den niedrigen Gartenzaun und legte mich recht behaglich unter einem Apfelbaum ins Gras, denn von dem gestrigen Nachtlager auf dem Baume taten mir noch alle Glieder weh. Da konnte man weit ins Land hinaussehen, und da es Sonntag war, so kamen bis aus der weitesten Ferne Glockenklänge über die stillen Felder herüber, und geputzte Landleute zogen überall zwischen Wiesen und Büschen nach der Kirche. Ich war recht fröhlich im Herzen, die Vögel sangen über mir im Baume, ich dachte an meine Mühle und an den Garten der schönen gnädigen Frau, und wie das alles nun so weit, weit lag – bis ich zuletzt einschlummerte. Da träumte mir, als käme diese schöne Frau aus der prächtigen Gegend unten zu mir gegangen oder eigentlich langsam geflogen zwischen den Glockenklängen, mit langen weißen Schleiern, die im Morgenrote wehten. Dann war es wieder, als wären wir gar nicht in der Fremde, sondern bei meinem Dorfe an der Mühle in den tiefen Schatten. Aber da war alles still und leer, wie wenn die Leute sonntags in der Kirche sind und nur der Orgelklang durch die Bäume herüberkommt, daß es mir recht im Herzen weh tat. Die schöne Frau aber war sehr gut und freundlich, sie hielt mich an der Hand und ging mit mir und sang in einem fort in dieser Einsamkeit das schöne Lied, das sie damals immer frühmorgens am offenen Fenster zur Gitarre gesungen hat, und ich sah dabei ihr Bild in dem stillen Weiher, noch viel tausendmal schöner, aber mit sonderbaren großen Augen, die mich so starr ansahen, daß ich mich beinah gefürchtet hätte. Da fing auf einmal die Mühle erst in einzelnen langsamen Schlägen, dann immer schneller und heftiger an zu gehen und zu brausen, der Weiher wurde dunkel und kräuselte sich, die schöne Frau wurde ganz bleich, und ihre Schleier wurden immer länger und länger und flatterten entsetzlich in langen Spitzen wie Nebelstreifen hoch am Himmel empor; das Sausen nahm immer mehr zu, oft war es, als bliese der Portier auf seinem Fagotte dazwischen, bis ich endlich mit heftigem Herzklopfen aufwachte.

Es hatte sich wirklich ein Wind erhoben, der leise über mir durch den Apfelbaum ging; aber was so brauste und rumorte, war weder die Mühle noch der Portier, sondern derselbe Bauer, der mir vorhin den Weg nach Italien nicht zeigen wollte. Er hatte aber seinen Sonntagsstaat ausgezogen und stand in einem weißen Kamisol vor mir. »Na«, sagte er, da ich mir noch den Schlaf aus den Augen wischte, »will Er etwa hier Poperenzen klauben, daß Er mir das schöne Gras so zertrampelt, anstatt in die Kirche zu gehen, Er Faulenzer!« Mich ärgerte es nur, daß mich der Grobian aufgeweckt hatte. Ich sprang ganz erbost auf und versetzte geschwind: »Was, Er will mich hier ausschimpfen? Ich bin Gärtner gewesen, eh' Er daran dachte, und Einnehmer, und wenn Er zur Stadt gefahren wäre, hätte Er die schmierige Schlafmütze vor mir abnehmen müssen, und hatte mein Haus und meinen roten Schlafrock mit gelben Punkten.« Aber der Knollfink scherte sich gar nichts darum, sondern stemmte beide Arme in die Seiten und sagte bloß: »Was will Er denn? He, he!« Dabei sah ich, daß es eigentlich ein kurzer, stämmiger, krummbeiniger Kerl war und vorstehende glotzende Augen und eine rote, etwas schiefe Nase hatte. Und wie er immerfort nichts weiter sagte als: »He! – He!« und dabei jedesmal einen Schritt näher auf mich zukam, da überfiel mich auf einmal eine so kuriose grausliche Angst, daß ich mich schnell aufmachte, über den Zaun sprang und, ohne mich umzusehen, immerfort querfeldein lief, daß mir die Geige in der Tasche klang.

Als ich endlich wieder stillhielt, um Atem zu schöpfen, war der Garten und das ganze Tal nicht mehr zu sehen, und ich stand in einem schönen Walde. Aber ich gab nicht viel darauf acht, denn jetzt ärgerte mich das Spektakel erst recht, und daß der Kerl mich immer Er nannte, und ich schimpfte noch lange im stillen für mich. In solchen Gedanken ging ich rasch fort und kam immer mehr von der Landstraße ab, mitten in das Gebirge hinein. Der Holzweg, auf dem ich fortgelaufen war, hörte auf, und ich hatte nur noch einen kleinen, wenig betretenen Fußsteig vor mir. Ringsum war niemand zu sehen und kein Laut zu vernehmen. Sonst aber war es recht anmutig zu gehn, die Wipfel der Bäume rauschten, und die Vögel sangen sehr schön. Ich befahl mich daher Gottes Führung, zog meine Violine hervor und spielte alle meine liebsten Stücke durch, daß es recht fröhlich in dem einsamen Walde erklang.

Mit dem Spielen ging es aber auch nicht lange, denn ich stolperte dabei jeden Augenblick über die fatalen Baumwurzeln, auch fing mich zuletzt an zu hungern, und der Wald wollte noch immer gar kein Ende nehmen. So irrte ich den ganzen Tag herum, und die Sonne schien schon schief zwischen den Baumstämmen hindurch, als ich endlich in ein kleines Wiesental hinauskam, das rings von Bergen eingeschlossen und voller roter und gelber Blumen war, über denen unzählige Schmetterlinge im Abendgolde herumflatterten. Hier war es so einsam, als läge die Welt wohl hundert Meilen weit weg. Nur die Heimchen zirpten, und ein Hirt lag drüben im hohen Grase und blies so melancholisch auf seiner Schalmei, daß einem das Herz vor Wehmut hätte zerspringen mögen. »Ja«, dachte ich bei mir, »wer es so gut hätte wie so ein Faulenzer! Unsereiner muß sich in der Fremde herumschlagen und immer attent sein.« Da ein schönes klares Flüßchen zwischen uns lag, über das ich nicht hinüberkonnte, so rief ich ihm von weitem zu, wo hier das nächste Dorf läge? Er ließ sich aber nicht stören, sondern streckte nur den Kopf ein wenig aus dem Grase hervor, wies mit seiner Schalmei auf den andern Wald hin und blies ruhig wieder weiter.

Unterdes marschierte ich fleißig fort, denn es fing schon an zu dämmern. Die Vögel, die alle noch ein großes Geschrei gemacht hatten, als die letzten Sonnenstrahlen durch den Wald schimmerten, wurden auf einmal still, und mir fing beinah an angst zu werden in dem ewigen, einsamen Rauschen der Wälder. Endlich hörte ich von ferne Hunde bellen. Ich schritt rascher fort, der Wald wurde immer lichter und lichter, und bald darauf sah ich zwischen den letzten Bäumen hindurch einen schönen grünen Platz, auf dem viele Kinder lärmten und sich um eine große Linde herumtummelten, die recht in der Mitte stand. Weiterhin an dem Platze war ein Wirtshaus, vor dem einige Bauern um einen Tisch saßen und Karten spielten und Tabak rauchten. Von der anderen Seite saßen junge Bursche und Mädchen vor der Tür, die die Arme in ihre Schürzen gewickelt hatten und in der Kühle miteinander plauderten.

Ich besann mich nicht lange, zog meine Geige aus der Tasche und spielte schnell einen lustigen Ländler auf, während ich aus dem Walde hervortrat. Die Mädchen verwunderten sich, die Alten lachten, daß es weit in den Wald hineinschallte. Als ich aber so bis zu der Linde gekommen war und mich mit dem Rücken dran lehnte und immerfort spielte, da ging ein heimliches Rumoren und Gewisper unter den jungen Leuten rechts und links, die Burschen legten endlich ihre Sonntagspfeifen weg, jeder nahm die Seine, und eh' ich's mir versah, schwenkte sich das junge Bauernvolk tüchtig um mich herum, die Hunde bellten, die Kittel flogen, und die Kinder standen um mich im Kreise und sahen mir neugierig ins Gesicht und auf die Finger, wie ich so fix damit hantierte.

Wie der erste Schleifer vorbei war, konnte ich erst recht sehen, wie eine gute Musik in die Gliedmaßen fährt. Die Bauernburschen, die sich vorher, die Pfeifen im Munde, auf den Bänken reckten und die steifen Beine von sich streckten, waren nun auf einmal wie umgetauscht, ließen ihre bunten Schnupftücher vorn am Knopfloch lang herunterhängen und kapriolten so artig um die Mädchen herum, daß es eine rechte Lust anzuschauen war. Einer von ihnen, der sich schon für was Rechtes hielt, haspelte lange in seiner Westentasche, damit es die andern sehen sollten, und brachte endlich ein kleines Silberstück heraus, das er mir in die Hand drücken wollte. Mich ärgerte das, wenn ich gleich dazumal kein Geld in der Tasche hatte. Ich sagte ihm, er sollte nur seine Pfennige behalten, ich spielte nur so aus Freude, weil ich wieder bei Menschen wäre. Bald darauf aber kam ein schmuckes Mädchen mit einer großen Stampe Wein zu mir. »Musikanten trinken gern«, sagte sie und lachte mich freundlich an, und ihre perlweißen Zähne schimmerten recht scharmant zwischen den roten Lippen hindurch, so daß ich sie wohl hätte darauf küssen mögen. Sie tunkte ihr Schnäbelchen in den Wein, wobei ihre Augen über das Glas weg auf mich herüberfunkelten, und reichte mir darauf die Stampe hin. Da trank ich das Glas bis auf den Grund aus und spielte dann wieder von frischem, daß sich alles lustig um mich herumdrehte.

Die Alten waren unterdes von ihrem Spiel aufgebrochen, die jungen Leute fingen auch an müde zu werden und zerstreuten sich, und so wurde es nach und nach ganz still und leer vor dem Wirtshause. Auch das Mädchen, das mir den Wein gereicht hatte, ging nun nach dem Dorfe zu, aber sie ging sehr langsam und sah sich zuweilen um, als ob sie was vergessen hätte. Endlich blieb sie stehen und suchte etwas auf der Erde, aber ich sah wohl, daß sie, wenn sie sich bückte, unter dem Arme hindurch nach mir zurückblickte. Ich hatte auf dem Schlosse Lebensart gelernt, ich sprang also geschwind herzu und sagte: »Haben Sie etwas verloren, schönste Mamsell?« – »Ach nein«, sagte sie und wurde über und über rot, »es war nur eine Rose – will Er sie haben?« Ich dankte und steckte die Rose ins Knopfloch. Sie sah mich sehr freundlich an und sagte: »Er spielt recht schön.« – »Ja«, versetzte ich, »das ist so eine Gabe Gottes.« – »Die Musikanten sind hier in der Gegend sehr rar«, hub das Mädchen dann wieder an und stockte und hatte die Augen beständig niedergeschlagen. »Er könnte sich hier ein gutes Stück Geld verdienen – auch mein Vater spielt etwas die Geige und hört gern von der Fremde erzählen – und mein Vater ist sehr reich.« Dann lachte sie auf und sagte: »Wenn er nur nicht immer solche Grimassen machen möchte mit dem Kopfe beim Geigen!« – »Teuerste Jungfer«, erwiderte ich, »erstlich: Nennen Sie mich nur nicht immer Er, sodann mit den Kopftremulenzen, das ist einmal nicht anders, das haben wir Virtuosen alle so an uns.« – »Ach so!« entgegnete das Mädchen. Sie wollte noch etwas mehr sagen, aber da entstand auf einmal ein entsetzliches Gepolter im Wirtshause, die Haustür ging mit großem Gekrache auf, und ein dünner Kerl kam wie ein ausgeschossener Ladestock herausgeflogen, worauf die Tür sogleich wieder hinter ihm zugeschlagen wurde.

Das Mädchen war bei dem ersten Geräusch wie ein Reh davongesprungen und im Dunkel verschwunden. Die Figur vor der Tür aber raffte sich hurtig wieder vom Boden auf und fing nun an, mit solcher Geschwindigkeit gegen das Haus loszuschimpfen, daß es ordentlich zum Erstaunen war. »Was!« schrie er. »Ich besoffen? Ich die Kreidestriche an der verräucherten Tür nicht bezahlen? Löscht sie aus, löscht sie aus! Hab' ich Euch nicht erst gestern übern Kochlöffel barbiert und in die Nase geschnitten, daß Ihr mir den Löffel morsch entzweigebissen habt? Barbieren macht einen Strich – Kochlöffel wieder ein Strich – Pflaster auf die Nase noch ein Strich – wieviel solche hundsföttische Striche wollt Ihr denn noch bezahlt haben? Aber gut, schon gut, ich lasse das ganze Dorf, die ganze Welt ungeschoren. Lauft meinetwegen mit euren Bärten, daß der liebe Gott am Jüngsten Tage nicht weiß, ob ihr Juden seid oder Christen! Ja, hängt euch an euren eigenen Bärten auf, ihr zottigen Landbären!« Hier brach er auf einmal in ein jämmerliches Weinen aus und fuhr ganz erbärmlich durch die Fistel fort: »Wasser soll ich saufen wie ein elender Fisch? Ist das Nächstenliebe? Bin ich nicht ein Mensch und ein ausgelernter Feldscher? Ach, ich bin heute so in der Rage! Mein Herz ist voller Rührung und Menschenliebe!« Bei diesen Worten zog er sich nach und nach zurück, da im Hause alles still blieb. Als er mich erblickte, kam er mit ausgebreiteten Armen auf mich los, ich glaubte, der tolle Kerl wollte mich embrassieren. Ich sprang aber auf die Seite, und so stolperte er weiter, und ich hörte ihn noch lange, bald grob, bald fein, durch die Finsternis mit sich diskurieren.

Mir aber ging mancherlei im Kopfe herum. Die Jungfer, die mir vorhin die Rose geschenkt hatte, war jung, schön und reich – ich konnte da mein Glück machen, eh' man die Hand umkehrte. Und Hammel und Schweine, Puter und fette Gänse mit Äpfeln gestopft – ja, es war mir nicht anders, als säh' ich den Portier auf mich zukommen: »Greif zu Einnehmer, greif zu! Jung gefreit hat niemand gereut, wer's Glück hat, führt die Braut heim, bleibe im Lande und nähre dich tüchtig.« In solchen philosophischen Gedanken setzte ich mich auf dem Platze, der nun ganz einsam war, auf einen Stein nieder, denn an das Wirtshaus anzuklopfen, traute ich mich nicht, weil ich kein Geld bei mir hatte. Der Mond schien prächtig, von den Bergen rauschten die Wälder durch die stille Nacht herüber, manchmal schlugen im Dorfe die Hunde an, das weiter im Tale unter Bäumen und Mondschein wie begraben lag. Ich betrachtete das Firmament, wie da einzelne Wolken langsam durch den Mondschein zogen und manchmal ein Stern weit in der Ferne herunterfiel. »So«, dachte ich, »scheint der Mond auch über meines Vaters Mühle und auf das weiße gräfliche Schloß. Dort ist nun auch schon alles lange still, die gnädige Frau schläft, und die Wasserkünste und Bäume im Garten rauschen noch immerfort wie damals, und allen ist's gleich, ob ich noch da bin oder in der Fremde oder gestorben.« Da kam mir die Welt auf einmal so entsetzlich weit und groß vor, und ich so ganz allein darin, daß ich aus Herzensgrunde hätte weinen mögen.

Wie ich noch immer so dasitze, höre ich auf einmal aus der Ferne Hufschlag im Walde. Ich hielt den Atem an und lauschte, da kam es immer näher und näher, und ich konnte schon die Pferde schnauben hören. Bald darauf kamen auch wirklich zwei Reiter unter den Bäumen hervor, hielten aber am Saume des Waldes an und sprachen heimlich sehr eifrig miteinander, wie ich an den Schatten sehen konnte, die plötzlich über den mondbeglänzten Platz vorschossen und mit langen, dunklen Armen bald dahin, bald dorthin wiesen. – Wie oft, wenn mir zu Hause meine verstorbene Mutter von wilden Wäldern und martialischen Räubern erzählte, hatte ich mir sonst immer heimlich gewünscht, eine solche Geschichte selbst zu erleben. Da hatt' ich's nun auf einmal für meine dummen, frevelmütigen Gedanken! – Ich streckte mich nun an dem Lindenbaum, unter dem ich gesessen, ganz unmerklich so lang aus, als ich nur konnte, bis ich den ersten Ast erreicht hatte und mich geschwinde hinaufschwang. Aber ich baumelte noch mit halbem Leibe über dem Ast und wollte soeben auch meine Beine nachholen, als der eine von den Reitern rasch hinter mir über den Platz dahertrabte. Ich drückte nun die Augen fest zu in dem dunkeln Laube und rührte und regte mich nicht. »Wer ist da?« rief es auf einmal dicht hinter mir. »Niemand!« schrie ich aus Leibeskräften vor Schreck, daß er mich doch noch erwischt hatte. Insgeheim mußte ich aber doch bei mir lachen, wie die Kerls sich schneiden würden, wenn sie mir die leeren Taschen umdrehten. »Ei, ei«, sagte der Räuber wieder, »wem gehören denn aber die zwei Beine, die da herunterhängen?« Da half nichts mehr. »Nichts weiter«, versetzte ich, »als ein paar arme verirrte Musikantenbeine« und ließ mich rasch wieder auf den Boden herab, denn ich schämte mich auch, länger wie eine zerbrochene Gabel da über dem Aste zu hängen.

Das Pferd des Reiters scheute, als ich so plötzlich vom Baume herunterfuhr. Er klopfte ihm den Hals und sagte lachend: »Nun, wir sind auch verirrt, da sind wir rechte Kameraden; ich dächte also, du hälfest uns ein wenig den Weg nach B. aufsuchen. Es soll dein Schade nicht sein.« Ich hatte nun gut beteuern, daß ich gar nicht wüßte, wo B. läge, daß ich lieber hier im Wirtshaus fragen oder sie in das Dorf hinunterführen wollte. Der Kerl nahm gar keine Räson an. Er zog ganz ruhig eine Pistole aus dem Gurt, die recht hübsch im Mondschein funkelte. »Mein Liebster«, sagte er dabei sehr freundschaftlich zu mir, während er bald den Lauf der Pistole abwischte, bald wieder prüfend an die Augen hielt, »mein Liebster, du wirst wohl so gut sein, selber nach B. vorauszugehn.«

Da war ich nun recht übel dran. Traf ich den Weg, so kam ich gewiß zu der Räuberbande und bekam Prügel, da ich kein Geld bei mir hatte; traf ich ihn nicht, so bekam ich auch Prügel. Ich besann mich also nicht lang und schlug den ersten besten Weg ein, der an dem Wirtshause vorüber vom Dorfe abführte. Der Reiter sprengte schnell zu seinem Begleiter zurück, und beide folgten mir dann in einiger Entfernung langsam nach. So zogen wir eigentlich recht närrisch auf gut Glück in die mondhelle Nacht hinein. Der Weg lief immerfort im Walde an einem Bergeshange fort. Zuweilen konnte man über die Tannenwipfel, die von unten herauflangten und sich dunkel rührten, weit in die tiefen, stillen Täler hinaussehen, hin und her schlug eine Nachtigall, Hunde bellten in der Ferne in den Dörfern. Ein Fluß rauschte beständig aus der Tiefe und blitzte zuweilen im Mondschein auf. Dabei das einförmige Pferdegetrappel und das Wirren und Schwirren der Reiter hinter mir, die unaufhörlich in einer fremden Sprache miteinander plauderten, und das helle Mondlicht und die langen Schatten der Baumstämme, die wechselnd über die beiden Reiter wegflogen, daß sie mir bald schwarz, bald hell, bald klein, bald wieder riesengroß vorkamen. Mir verwirrten sich ordentlich die Gedanken, als läge ich in einem Traum und könnte gar nicht aufwachen. Ich schritt immer stramm vor mich hin. »Wir müssen«, dachte ich, »doch am Ende aus dem Walde und aus der Nacht herauskommen.«

Endlich flogen hin und wieder schon lange rötliche Scheine über den Himmel, ganz leise, wie wenn man über einen Spiegel haucht, auch eine Lerche sang schon hoch über dem stillen Tale. Da wurde mir auf einmal ganz klar im Herzen bei dem Morgengruße, und alle Furcht war vorüber. Die beiden Reiter aber streckten sich und sahen sich nach allen Seiten um und schienen nun erst gewahr zu werden, daß wir doch wohl nicht auf dem rechten Wege sein mochten. Sie plauderten wieder viel, und ich merkte wohl, daß sie von mir sprachen, ja es kam mir vor, als finge der eine sich vor mir zu fürchten an, als könnt' ich wohl gar so ein heimlicher Schnapphahn sein, der sie im Walde irreführen wollte. Das machte mir Spaß, denn je lichter es ringsum wurde, je mehr Courage kriegt' ich, zumal da wir soeben auf einen schönen freien Waldplatz herauskamen. Ich sah mich daher nach allen Seiten ganz wild um und pfiff dann ein paarmal auf den Fingern, wie die Spitzbuben tun, wenn sie sich einander Signale geben wollen.

»Halt!« rief auf einmal der eine von den Reitern, daß ich ordentlich zusammenfuhr. Wie ich mich umsehe, sind sie beide abgestiegen und haben ihre Pferde an einen Baum angebunden. Der eine kommt aber rasch auf mich los, sieht mir ganz starr ins Gesicht und fängt auf einmal ganz unmäßig an zu lachen. Ich muß gestehen, mich ärgerte das unvernünftige Gelächter. Er aber sagte: »Wahrhaftig, das ist der Gärtner, wollt' sagen: Einnehmer vom Schloß!«

Ich sah ihn groß an, wußte mich aber seiner nicht zu erinnern, hätt' auch viel zu tun gehabt, wenn ich mir alle die jungen Herren hätte ansehen wollen, die auf dem Schlosse ab und zu ritten. Er aber fuhr mit ewigem Gelächter fort: »Das ist prächtig! Du vazierst, wie ich sehe, wir brauchen eben einen Bedienten, bleib bei uns, da hast du ewige Vakanz.« Ich war ganz verblüfft und sagte endlich, daß ich soeben auf einer Reise nach Italien begriffen wäre. »Nach Italien?« entgegnete der Fremde. »Ebendahin wollen auch wir!« – »Nun, wenn *das* ist!« rief ich aus und zog voller Freude meine Geige aus der Tasche und strich, daß die Vögel im Walde aufwachten. Der Herr aber erwischte geschwind den andern Herrn und walzte mit ihm wie verrückt auf dem Rasen herum.

Dann standen sie plötzlich still. »Bei Gott«, rief der eine, »da seh' ich schon den Kirchturm von B.! Nun, da wollen wir bald unten sein.« Er zog seine Uhr heraus und ließ sie repetieren, schüttelte mit dem Kopfe und ließ noch einmal schlagen. »Nein«, sagte er, »das geht nicht, wir kommen so zu früh hin, das könnte schlimm werden!«

Darauf holten sie von ihren Pferden Kuchen, Braten und Weinflaschen, breiteten eine schöne bunte Decke auf dem grünen Rasen aus, streckten sich darüber hin und schmausten sehr vergnüglich, teilten auch mir von allem sehr reichlich mit, was mir gar wohl bekam, da ich seit einigen Tagen schon nicht mehr vernünftig gespeist hatte. »Und daß du's weißt«, sagte der eine zu mir, »aber du kennst uns doch nicht?« Ich schüttelte mit dem Kopfe. – »Also, daß du's weißt: Ich bin der Maler Leonhard, und das dort ist – wieder ein Maler – Guido geheißen.«

Ich besah mir nun die beiden Maler genauer bei der Morgendämmerung. Der eine, Herr Leonhard, war groß, schlank, braun, mit lustigen, feurigen Augen. Der andere war viel jünger, kleiner und feiner, auf altdeutsche Mode gekleidet, wie es der Portier nannte, mit weißem Kragen und bloßem Hals, um den die dunkelbraunen Locken herabhingen, die er oft aus dem hübschen Gesichte wegschütteln mußte. Als dieser genug gefrühstückt hatte, griff er nach meiner Geige, die ich neben mir auf den Boden gelegt hatte, setzte sich damit auf einen umgehauenen Baummast und klimperte darauf mit den Fingern. Dann sang er dazu so hell wie ein Waldvöglein, daß es mir recht durchs ganze Herz klang:

> »Fliegt der erste Morgenstrahl
> Durch das stille Nebeltal,
> Rauscht erwachend Wald und Hügel:
> Wer da fliegen kann, nimmt Flügel!
>
> Und sein Hütlein in die Luft
> Wirft der Mensch vor Lust und ruft:
> ›Hat Gesang doch auch noch Schwingen,
> Nun so will ich fröhlich singen!‹«

Dabei spielten die rötlichen Morgenscheine recht anmutig über sein etwas blasses Gesicht und die schwarzen verliebten Augen. Ich aber war so müde, daß sich mir die Worte und Noten, während er so sang, immer mehr verwirrten, bis ich zuletzt fest einschlief.

Als ich nach und nach wieder zu mir selber kam, hörte ich wie im Traume die beiden Maler noch immer neben mir sprechen und die Vögel über mir singen, und die Morgenstrahlen schimmerten mir durch die geschlossenen Augen, daß mir's innerlich so dunkelhell war, wie wenn die Sonne durch rotseidene Gardinen scheint. »Come è bello!« hört' ich da dicht neben mir ausrufen. Ich schlug die Augen auf und erblickte den jungen Maler, der im funkelnden Morgenlicht über mich hergebeugt stand, so daß beinah nur die großen schwarzen Augen zwischen den herabhängenden Locken zu sehen waren.

Ich sprang geschwind auf, denn es war schon heller Tag geworden. Der Herr Leonhard schien verdrüßlich zu sein, er hatte zwei zornige Falten auf der Stirn und trieb hastig zum Aufbruch. Der andere Maler aber schüttelte seine Locken aus dem Gesicht und trällerte, während er sein Pferd aufzäumte, ruhig ein Liedchen vor sich hin, bis Leonhard zuletzt plötzlich laut auflachte, schnell eine Flasche ergriff, die noch auf dem Rasen stand, und den Rest in die Gläser einschenkte. »Auf eine glückliche Ankunft!« rief er aus, sie stießen mit den Gläsern zusammen, es gab einen schönen Klang. Darauf schleuderte Leonhard die leere Flasche hoch ins Morgenrot, daß es lustig in der Luft funkelte.

Endlich setzten sie sich auf ihre Pferde, und ich marschierte frisch wieder nebenher. Gerade vor uns lag ein unübersehbares Tal, in das wir nun hinunterzogen. Da war ein Blitzen und Rauschen und Schimmern und Jubilieren! Mir war so kühl und fröhlich zumute, als sollt' ich von dem Berge in die prächtige Gegend hinausfliegen.

Viertes Kapitel

Nun ade, Mühle und Schloß und Portier! Nun ging's, daß mir der Wind am Hute pfiff. Rechts und links flogen Dörfer, Städte und Weingärten vorbei, daß es einem vor den Augen flimmerte; hinter mir die beiden Maler im Wagen, vor mir vier Pferde mit einem prächtigen Postillion, ich hoch oben auf dem Kutschbock, daß ich oft ellenhoch in die Höhe flog.

Das war so zugegangen: Als wir vor B. ankommen, kommt schon am Dorfe ein langer, dürrer, grämlicher Herr im grünen Flauschrock uns entgegen, macht viele Bücklinge vor den Herren Malern und führt uns in das Dorf hinein. Da stand unter den hohen Linden vor dem Posthause schon ein prächtiger Wagen, mit vier Postpferden bespannt. Herr Leonhard meinte unterwegs, ich hätte meine Kleider ausgewachsen. Er holte daher geschwind andere aus seinem Mantelsack hervor, und ich mußte einen ganz neuen, schönen Frack und Weste anziehn, die mir sehr vornehm zu Gesicht standen, nur daß mir alles zu lang und weit war und ordentlich um mich herumschlotterte. Auch einen ganz neuen Hut bekam ich, der funkelte in der Sonne, als wär' er mit frischer Butter überschmiert. Dann nahm der fremde, grämliche Herr die beiden Pferde der Maler am Zügel, die Maler sprangen in den Wagen, ich auf den Bock, und so flogen wir schon fort, als eben der Postmeister mit der Schlafmütze aus dem Fenster guckte. Der Postillion blies lustig auf dem Horne, und so ging es frisch nach Italien hinein.

Ich hatte eigentlich da droben ein prächtiges Leben wie der Vogel in der Luft und brauchte doch dabei nicht selbst zu fliegen. Zu tun hatte ich auch weiter nichts, als Tag und Nacht auf dem Bocke zu sitzen und bei den Wirtshäusern manchmal Essen und Trinken an den Wagen herauszubringen, denn die Maler sprachen nirgends ein, und bei Tage zogen sie die Fenster am Wagen so fest zu, als wenn die Sonne sie erstechen wollte. Nur zuweilen steckte der Herr Guido sein hübsches Köpfchen zum Wagenfenster heraus und diskurierte freundlich mit mir und lachte dann den Herrn Leonhard aus, der das nicht leiden wollte und jedesmal über die langen Diskurse böse wurde. Ein paarmal hätte ich bald Verdruß bekommen mit meinem Herrn. Das eine Mal, wie ich bei schöner, sternklarer Nacht droben auf dem Bock die Geige zu spielen anfing, und sodann späterhin wegen des Schlafes. Das war aber auch ganz zum Erstaunen! Ich wollte mir doch Italien recht genau besehen und riß die Augen alle Viertelstunden weit auf. Aber kaum hatte ich ein Weilchen so vor mich hingesehen, so verschwirrten und verwickelten sich mir die sechzehn Pferdefüße vor mir wie Filet so hin und her und übers Kreuz, daß mir die Augen gleich wieder übergingen, und zuletzt geriet ich in ein solches entsetzliches und unaufhaltsames Schlafen, daß gar kein Rat mehr war. Da mocht' es Tag oder Nacht, Regen oder Sonnenschein, Tirol oder Italien sein, ich hing bald rechts, bald links, bald rücklings über den Bock herunter, ja manchmal tunkte ich mit solcher Vehemenz mit dem Kopfe nach dem Boden zu, daß mir der Hut weit vom Kopfe flog und der Herr Guido im Wagen laut aufschrie.

So war ich, ich weiß selbst nicht wie, durch halb Welschland, das sie dort Lombardei nennen, durchgekommen, als wir an einem schönen Abend vor einem Wirtshause auf dem Lande still hielten. Die Postpferde waren in dem daranstoßenden Stationsdorfe erst nach ein paar Stunden bestellt, die Herren Maler stiegen daher aus und ließen sich in ein besonderes Zimmer führen, um hier ein wenig zu rasten und einige Briefe zu schreiben. Ich aber war sehr vergnügt darüber und verfügte mich sogleich in die Gaststube, um endlich wieder einmal so recht mit Ruhe und Kommodität zu essen und zu trinken. Da sah es ziemlich liederlich aus. Die Mägde gingen mit zerzottelten Haaren herum und hatten die offenen Halstücher unordentlich um das gelbe Fell hängen. Um einen runden Tisch saßen die Knechte vom Hause in blauen Überziehhemden beim Abendessen und glotzten mich zuweilen von der Seite an. Die hatten alle kurze, dicke Haarzöpfe und sahen so recht vornehm wie die jungen Herrlein aus. »Da bist du nun«, dachte ich bei mir und aß fleißig fort, »da bist du nun endlich in dem Lande, woher immer die kuriosen Leute zu unserm Herrn Pfarrer kamen, mit Mausefallen und Barometern und Bildern. Was der Mensch doch nicht alles erfährt, wenn er sich einmal hinterm Ofen hervormacht!«

Wie ich noch eben so esse und meditiere, wuscht ein Männlein, das bis jetzt in einer dunklen Ecke der Stube bei seinem Glase Wein gesessen hatte, auf einmal aus seinem Winkel wie eine Spinne auf mich los. Er war ganz kurz und bucklicht, hatte aber einen großen grauslichen Kopf mit einer langen römischen Adlernase und sparsamem rotem Backenbart, und die gepuderten Haare standen ihm von allen Seiten zu Berge, als wenn der Sturmwind durchgefahren wäre. Dabei trug er einen altmodischen verschossenen Frack, kurze plüschene Beinkleider und ganz vergelbte seidene Strümpfe. Er war einmal in Deutschland gewesen und dachte, wunder wie gut er Deutsch verstünde. Er setzte sich zu mir und frug bald das, bald jenes, während er immerfort Tabak schnupfte: ob ich der Servitore sei, wenn wir arriware, ob wir nach Roma kehn? Aber das wußte ich alles selber nicht und konnte auch sein Kauderwelsch gar nicht verstehn. »Parlez-vous français?« sagte ich endlich in meiner Angst zu ihm. Er schüttelte mit dem großen Kopfe, und das war mir sehr lieb, denn ich konnte ja auch nicht Französisch. Aber das half alles nichts. Er hatte mich einmal recht aufs Korn genommen, er frug und frug immer wieder; je mehr wir parlierten, je weniger verstand einer den andern, zuletzt wurden wir beide schon hitzig, so daß mir's manchmal vorkam, als wollte der Signor mit seiner Adlernase nach mir hacken, bis endlich die Mägde, die den babylonischen Diskurs mit angehört hatten, uns beide tüchtig auslachten. Ich aber legte schnell Messer und Gabel hin und ging vor die Haustür hinaus. Denn mir war in dem fremden Lande nicht anders, als wäre ich mit meiner deutschen Zunge tausend Klafter tief ins Meer versenkt und allerlei unbekanntes Gewürm ringelte sich und rauschte da in der Einsamkeit um mich her und glotzte und schnappte nach mir.

Draußen war eine warme Sommernacht, so recht um gassatim zu gehen. Weit von den Weinbergen herüber hörte man noch zuweilen einen Winzer singen, dazwischen blitzte es manchmal von ferne, und die ganze Gegend zitterte und säuselte im Mondschein. Ja manchmal kam es mir vor, als schlüpfte eine lange dunkle Gestalt hinter den Haselnußsträuchern vor dem Hause vorüber und guckte durch die Zweige, dann war alles auf einmal wieder still. Da trat der Herr Guido eben auf den Balkon des Wirtshauses heraus. Er bemerkte mich nicht und spielte sehr geschickt auf einer Zither, die er im Hause gefunden haben mußte, und sang dann dazu wie eine Nachtigall:

> »Schweigt der Menschen laute Lust:
> Rauscht die Erde wie in Träumen
> Wunderbar mit allen Bäumen,
> Was dem Herzen kaum bewußt,
> Alte Zeiten, linde Trauer,
> Und es schweifen leise Schauer
> Wetterleuchtend durch die Brust.«

Ich weiß nicht, ob er noch mehr gesungen haben mag, denn ich hatte mich auf die Bank vor der Haustür hingestreckt und schlief in der lauen Nacht vor großer Ermüdung fest ein.

Es mochten wohl ein paar Stunden ins Land gegangen sein, als mich ein Posthorn aufweckte, das lange Zeit lustig in meine Träume hereinblies, ehe ich mich völlig besinnen konnte. Ich sprang endlich auf, der Tag dämmerte schon an den Bergen, und die Morgenkühle rieselte mir durch alle Glieder. Da fiel mir erst ein, daß wir ja um diese Zeit schon wieder weit fort sein wollten. »Aha«, dachte ich, »heut ist einmal das Wecken und Auslachen an mir. Wie wird der Herr Guido mit dem verschlafenen Lockenkopfe herausfahren, wenn er mich draußen hört!« So ging ich in den kleinen Garten am Hause dicht unter die Fenster, wo meine Herren wohnten, dehnte mich noch einmal recht ins Morgenrot hinein und sang fröhlichen Mutes:

> »Wenn der Hoppevogel schreit,
> Ist der Tag nicht mehr weit,
> Wenn die Sonne sich auftut,
> Schmeckt der Schlaf noch so gut!«

Das Fenster war offen, aber es blieb alles still oben, nur der Nachtwind ging noch durch die Weinranken, die sich bis in das Fenster hineinstreckten. »Nun, was soll denn das wieder bedeuten?« rief ich voll Erstaunen aus und lief in das Haus und durch die stillen Gänge nach der Stube zu. Aber da gab es mir einen rechten Stich ins Herz. Denn wie ich die Tür aufreiße, ist alles leer, darin kein Frack, kein Hut, kein Stiefel. Nur die Zither, auf der Herr Guido gestern gespielt hatte, hing an der Wand, auf dem Tische mitten in der Stube lag ein schöner voller Geldbeutel, worauf ein Zettel geklebt war. Ich hielt ihn näher ans Fenster und traute meinen Augen kaum, es stand wahrhaftig mit großen Buchstaben darauf: »Für den Herrn Einnehmer!«

Was war mir aber das alles nütze, wenn ich meine lieben lustigen Herren nicht wiederfand? Ich schob den Beutel in meine tiefe Rocktasche, das plumpte wie in einen tiefen Brunnen, daß es mich ordentlich hintenüberzog. Dann rannte ich hinaus, machte einen großen Lärm und weckte alle Knechte und Mägde im Hause. Die wußten gar nicht, was ich wollte, und meinten, ich wäre verrückt geworden. Dann aber verwunderten sie sich nicht wenig, als sie oben das leere Nest sahen. Niemand wußte etwas von meinen Herren. Nur die eine Magd – wie ich aus ihren Zeichen und Gestikulationen zusammenbringen konnte – hatte bemerkt, daß der Herr Guido, als er gestern abends auf dem Balkon sang, auf einmal laut aufschrie und dann geschwind zu dem andern Herrn in das Zimmer zurückstürzte. Als sie hernach in der Nacht einmal aufwachte, hörte sie draußen Pferdegetrappel. Sie guckte durch das kleine Kammerfenster und sah den bucklichen Signor, der gestern mit mir so viel gesprochen hatte, auf einem Schimmel im Mondschein quer übers Feld galoppieren, daß er immer ellenhoch überm Sattel in die Höhe flog und die Magd sich bekreuzte, weil es aussah wie ein Gespenst, das auf einem dreibeinigen Pferde reitet. Da wußt' ich nun gar nicht, was ich machen sollte.

Unterdes aber stand unser Wagen schon lange vor der Tür angespannt, und der Postillion stieß ungeduldig ins Horn, daß er hätte bersten mögen, denn er mußte zur bestimmten Stunde auf der nächsten Station sein, da alles durch Laufzettel bis auf die Minute vorausbestellt war. Ich rannte noch einmal um das ganze Haus herum und rief die Maler, aber niemand gab Antwort, die Leute aus dem Hause liefen zusammen und gafften mich an, der Postillion fluchte, die Pferde schnaubten, ich, ganz verblüfft, springe endlich geschwind in den Wagen hinein, der Hausknecht schlägt die Tür hinter mir zu, der Postillion knallt, und so ging's mit mir fort in die weite Welt hinein.

Fünftes Kapitel

Wir fuhren nun über Berg und Tal Tag und Nacht immerfort. Ich hatte gar nicht Zeit, mich zu besinnen, denn wo wir hinkamen, standen die Pferde angeschirrt, ich konnte mit den Leuten nicht sprechen, mein Demonstrieren half also nichts; oft, wenn ich im Wirtshause eben beim besten Essen war, blies der Postillion, ich mußte Messer und Gabel wegwerfen und wieder in den Wagen springen und wußte doch eigentlich gar nicht, wohin und weswegen ich just mit so ausnehmender Geschwindigkeit fortreisen sollte.

Sonst war die Lebensart gar nicht so übel. Ich legte mich, wie auf einem Kanapee, bald in die eine, bald in die andere Ecke des Wagens und lernte Menschen und Länder kennen, und wenn wir durch Städte fuhren, lehnte ich mich auf beide Arme zum Wagenfenster heraus und dankte den Leuten, die höflich vor mir den Hut abnahmen, oder ich grüßte die Mädchen an den Fenstern wie ein alter Bekannter, die sich dann immer sehr verwunderten und mir noch lange neugierig nachguckten.

Aber zuletzt erschrak ich sehr. Ich hatte das Geld in dem gefundenen Beutel niemals gezählt, den Postmeistern und Gastwirten mußte ich überall viel bezahlen, und ehe ich mich's versah, war der Beutel leer. Anfangs nahm ich mir vor, sobald wir durch einen einsamen Wald führen, schnell aus dem Wagen zu springen und zu entlaufen. Dann aber tat es mir wieder leid, nun den schönen Wagen so allein zu lassen, mit dem ich sonst wohl noch bis ans Ende der Welt fortgefahren wäre. Nun saß ich eben voller Gedanken und wußte nicht aus noch ein, als es auf einmal seitwärts von der Landstraße abging. Ich schrie zum Wagen heraus auf den Postillion, wohin er denn fahre? Aber ich mochte sprechen, was ich wollte, der Kerl sagte immer bloß: »Si, si Signore!« und fuhr immer über Stock und Stein, daß ich aus einer Ecke des Wagens in die andere flog.

Das wollte mir gar nicht in den Sinn, denn die Landstraße lief gerade durch eine prächtige Landschaft auf die untergehende Sonne zu, wohl wie in ein Meer von Glanz und Funken. Von der Seite aber, wohin wir uns gewendet hatten, lag ein wüstes Gebirge vor uns mit grauen Schluchten, zwischen denen es schon lange dunkel geworden war. Je weiter wir fuhren, je wilder und einsamer wurde die Gegend. Endlich kam der Mond hinter den Wolken hervor und schien auf einmal so hell zwischen die Bäume und Felsen herein, daß es ordentlich grauslich anzusehen war. Wir konnten nur langsam fahren in den engen steinichten Schluchten, und das einförmige, ewige Gerassel des Wagens schallte an den Steinwänden weit in die stille Nacht, als führen wir in ein großes Grabgewölbe hinein. Nur von vielen Wasserfällen, die man aber nicht sehen konnte, war ein unaufhörliches Rauschen tiefer im Walde, und die Käuzchen riefen aus der Ferne immerfort: »Komm mit, komm mit!« Dabei kam es mir vor, als wenn der Kutscher, der, wie ich jetzt erst sah, gar keine Uniform hatte und kein Postillion war, sich einigemal unruhig umsähe und schneller zu fahren anfinge, und wie ich mich recht zum Wagen herauslegte, kam plötzlich ein Reiter aus dem Gebüsche hervor, sprengte dicht vor unsern Pferden quer über den Weg und verlor sich sogleich wieder auf der andern Seite im Walde. Ich war ganz verwirrt, denn so viel ich bei dem hellen Mondschein erkennen konnte, war es dasselbe bucklige Männlein auf seinem Schimmel, das in dem Wirtshause mit der Adlernase nach mir gehackt hatte. Der Kutscher schüttelte den Kopf und lachte laut auf über die närrische Reiterei, wandte sich aber dann rasch zu mir um, sprach sehr viel und sehr eifrig, wovon ich leider nichts verstand, und fuhr dann noch rascher fort.

Ich aber war froh, als ich bald darauf von fern ein Licht schimmern sah. Es fanden sich nach und nach noch mehrere Lichter, sie wurden immer größer und heller, und endlich kamen wir an einigen verräucherten Hütten vorüber, die wie Schwalbennester auf dem Felsen hingen. Da die Nacht warm war, so standen die Türen offen, und ich konnte darin die hellerleuchteten Stuben und allerlei lumpiges Gesindel sehen, das wie dunkle Schatten um das Herdfeuer herumhockte. Wir aber rasselten durch die stille Nacht einen Steinweg hinan, der sich auf einen hohen Berg hinaufzog. Bald überdeckten hohe Bäume und herabhängende Sträucher den ganzen Hohlweg, bald konnte man auf einmal wieder das ganze Firmament und in der Tiefe die weite, stille Runde von Bergen, Wäldern und Tälern übersehen. Auf dem Gipfel des Berges stand ein großes altes Schloß mit vielen Türmen im hellsten Mondschein. »Nun Gott befohlen!« rief ich aus und war innerlich ganz munter geworden vor Erwartung, wohin sie mich da am Ende noch bringen würden.

Es dauerte wohl noch eine gute halbe Stunde, ehe wir endlich auf dem Berge am Schloßtore ankamen. Das ging in einen breiten, runden Turm hinein, der oben schon ganz verfallen war. Der Kutscher knallte dreimal, daß es weit in dem alten Schlosse widerhallte, wo ein Schwarm von Dohlen ganz erschrocken plötzlich aus allen Luken und Ritzen herausfuhr und mit großem Geschrei die Luft durchkreuzte. Darauf rollte der Wagen in den langen, dunklen Torweg hinein. Die Pferde gaben mit ihren Hufeisen Feuer auf dem Steinpflaster, ein großer Hund bellte, der Wagen donnerte zwischen den gewölbten Wänden. Die Dohlen schrien noch immer dazwischen – so kamen wir mit einem entsetzlichen Spektakel in den engen, gepflasterten Schloßhof.

»Eine kuriose Station!« dachte ich bei mir, als nun der Wagen stillstand. Da wurde die Wagentür von draußen aufgemacht, und ein alter langer Mann mit einer kleinen Laterne sah mich unter seinen dicken Augenbrauen grämlich an. Er faßte mich dann unter den Arm und half mir, wie einem großen Herrn, aus dem Wagen heraus. Draußen vor der Haustür stand eine alte, sehr häßliche Frau in schwarzem Kamisol und Rock, mit einer weißen Schürze und schwarzen Haube, von der ihr ein langer Schnipper bis an die Nase herunterhing. Sie hatte an der einen Hüfte einen großen Bund Schlüssel hängen und hielt an der andern einen altmodischen Armleuchter mit zwei brennenden Wachskerzen. Sobald sie mich erblickte, fing sie an, tiefe Knickse zu machen und sprach und frug sehr viel durcheinander. Ich verstand aber nichts davon und machte immerfort Kratzfüße vor ihr, und es war mir eigentlich recht unheimlich zumute.

Der alte Mann hatte unterdes mit seiner Laterne den Wagen von allen Seiten beleuchtet und brummte und schüttelte den Kopf, als er nirgends einen Koffer oder Bagage fand. Der Kutscher fuhr darauf, ohne Trinkgeld von mir zu fordern, den Wagen in einen alten Schuppen, der auf der Seite des Hofes schon offenstand. Die alte Frau aber bat mich sehr höflich durch allerlei Zeichen, ihr zu folgen. Sie führte mich mit ihren Wachskerzen durch einen langen, schmalen Gang und dann eine kleine steinerne Treppe herauf. Als wir an der Küche vorbeigingen, streckten ein paar junge Mägde neugierig die Köpfe durch die halbgeöffnete Tür und guckten mich so starr an und winkten und nickten einander heimlich zu, als wenn sie in ihrem Leben noch kein Mannsbild gesehen hätten. Die Alte machte endlich oben eine Tür auf, da wurde ich anfangs ordentlich ganz verblüfft. Denn es war ein großes, schönes, herrschaftliches Zimmer mit goldenen Verzierungen an der Decke, und an den Wänden hingen prächtige Tapeten mit allerlei Figuren und großen Blumen. In der Mitte stand ein gedeckter Tisch mit Braten, Kuchen, Salat, Obst, Wein und Konfekt, daß einem recht das Herz im Leibe lachte. Zwischen den beiden Fenstern hing ein ungeheurer Spiegel, der vom Boden bis zur Decke reichte.

Ich muß sagen, das gefiel mir recht wohl. Ich streckte mich ein paarmal und ging mit langen Schritten vornehm im Zimmer auf und ab. Dann konnt' ich aber doch nicht widerstehen, mich einmal in einem so großen Spiegel zu besehen. Das ist wahr, die neuen Kleider vom Herrn Leonhard standen mir recht schön, auch hatte ich in Italien so ein gewisses feuriges Auge bekommen, sonst aber war ich gerade noch so ein Milchbart, wie ich zu Hause gewesen war, nur auf der Oberlippe zeigten sich erst ein paar Flaumfedern.

Die alte Frau mahlte indes in einem fort mit ihrem zahnlosen Munde, daß es nicht anders aussah, als wenn sie an der langen, herunterhängenden Nasenspitze kaute. Dann nötigte sie mich zum Sitzen, streichelte mir mit ihren dürren Fingern das Kinn, nannte mich »Poverino!«, wobei sie mich aus den roten Augen so schelmisch ansah, daß sich ihr der eine Mundwinkel bis an die halbe Wange in die Höhe zog, und ging endlich mit einem tiefen Knicks zur Tür hinaus.

Ich aber setzte mich zu dem gedeckten Tisch, während eine junge, hübsche Magd hereintrat, um mich bei der Tafel zu bedienen. Ich knüpfte allerlei galanten Diskurs mit ihr an, sie verstand mich aber nicht, sondern sah mich immer ganz kurios von der Seite an, weil mir's so gut schmeckte, denn das Essen war sehr delikat. Als ich satt war und wieder aufstand, nahm die Magd ein Licht von der Tafel und führte mich in ein anderes Zimmer. Da war ein Sofa, ein kleiner Spiegel und ein prächtiges Bett mit grünseidenen Vorhängen. Ich frug sie mit Zeichen, ob ich mich da hineinlegen sollte. Sie nickte zwar: »Ja«, aber das war denn doch nicht möglich, denn sie blieb wie angenagelt bei mir stehen. Endlich holte ich mir noch ein großes Glas Wein aus der Tafelstube herein und rief ihr zu: »Felicissima notte!«, denn so viel hatt' ich schon Italienisch gelernt. Aber wie ich das Glas so auf einmal ausstürzte, bricht sie plötzlich in ein verhaltenes Kichern aus, wird über und über rot, geht in die Tafelstube und macht die Tür hinter sich zu. »Was ist da zu lachen?« dachte ich ganz verwundert. »Ich glaube, die Leute in Italien sind alle verrückt.«

Ich hatte nun immer nur Angst vor dem Postillion, daß der gleich wieder zu blasen anfangen würde. Ich horchte am Fenster, aber es war alles still draußen. »Laß ihn blasen!« dachte ich, zog mich aus und legte mich in das prächtige Bett. Das war nicht anders, als wenn man in Milch und Honig schwämme! Vor den Fenstern rauschte die alte Linde im Hofe, zuweilen fuhr noch eine Dohle plötzlich vom Dache auf, bis ich endlich voller Vergnügen einschlief.

Sechstes Kapitel

Als ich wieder erwachte, spielten schon die ersten Morgenstrahlen an den grünen Vorhängen über mir. Ich konnte mich gar nicht besinnen, wo ich eigentlich wäre. Es kam mir vor, als führe ich noch immer fort im Wagen und es hätte mir von einem Schlosse im Mondschein geträumt und von einer alten Hexe und ihrem blassen Töchterlein.

Ich sprang endlich rasch aus dem Bette, kleidete mich an und sah mich dabei nach allen Seiten in dem Zimmer um. Da bemerkte ich eine kleine Tapetentür, die ich gestern gar nicht gesehen hatte. Sie war nur angelehnt, ich öffnete sie und erblickte ein kleines, nettes Stübchen, das in der Morgendämmerung recht heimlich aussah. Über einem Stuhl waren Frauenkleider unordentlich hingeworfen, auf einem Bettchen daneben lag das Mädchen, das mir gestern abend bei der Tafel aufgewartet hatte. Sie schlief noch ganz ruhig und hatte den Kopf auf den weißen, bloßen Arm gelegt, über den ihre schwarzen Locken herabfielen. »Wenn die wüßte, daß die Tür offen war!« sagte ich zu mir selbst und ging in mein Schlafzimmer zurück, während ich hinter mir wieder schloß und verriegelte, damit das Mädchen nicht erschrecken und sich schämen sollte, wenn sie erwachte.

Draußen ließ sich noch kein Laut vernehmen. Nur ein früherwachtes Waldvöglein saß vor meinem Fenster auf einem Strauch, der aus der Mauer herauswuchs, und sang schon sein Morgenlied. »Nein«, sagte ich, »du sollst mich nicht beschämen und allein so früh und fleißig Gott loben!« Ich nahm schnell meine Geige, die ich gestern auf das Tischchen gelegt hatte, und ging hinaus. Im Schlosse war noch alles totenstill, und es dauerte lange, ehe ich mich aus den dunklen Gängen ins Freie herausfand.

Als ich vor das Schloß heraustrat, kam ich in einen großen Garten, der auf breiten Terrassen, wovon die eine immer tiefer war als die andere, bis auf den halben Berg herunterging. Aber das war eine liederliche Gärtnerei. Die Gänge waren alle mit hohem Grase bewachsen, die künstlichen Figuren von Buchsbaum waren nicht beschnitten und streckten, wie Gespenster, lange Nasen oder ellenhohe spitzige Mützen in die Luft hinaus, daß man sich in der Dämmerung ordentlich davor hätte fürchten mögen. Auf einige zerbrochene Statuen über einer vertrockneten Wasserkunst war gar Wäsche aufgehängt, hin und wieder hatten sie mitten im Garten Kohl gebaut, dann kamen wieder ein paar ordinäre Blumen, alles unordentlich durcheinander und von hohem, wildem Unkraut überwachsen, zwischen dem sich bunte Eidechsen schlängelten. Zwischen die alten, hohen Bäume hindurch aber war überall eine weite, einsame Aussicht, eine Bergkoppe hinter der andern, soweit das Auge reichte.

Nachdem ich so ein Weilchen in der Morgendämmerung durch die Wildnis umherspaziert war, erblickte ich auf der Terrasse unter mir einen langen, schmalen, blassen Jüngling in einem langen braunen Kaputrock, der mit verschränkten Armen und großen Schritten auf und ab ging. Er tat, als sähe er mich nicht, setzte sich bald darauf auf eine steinerne Bank hin, zog ein Buch aus der Tasche, las sehr laut, als wenn er predigte, sah dabei zuweilen zum Himmel und stützte dann den Kopf ganz melancholisch auf die rechte Hand. Ich sah ihm lange zu, endlich wurde ich doch neugierig, warum er denn eigentlich so absonderliche Grimassen machte, und ging schnell auf ihn zu. Er hatte eben einen tiefen Seufzer ausgestoßen und sprang erschrocken auf, als ich ankam. Er war voller Verlegenheit, ich auch, wir wußten beide nicht, was wir sprechen sollten, und machten immerfort Komplimente voreinander, bis er endlich mit langen Schritten in das Gebüsch Reißaus nahm. Unterdes war die Sonne über dem Walde aufgegangen, ich sprang auf die Bank hinauf und strich vor Lust meine Geige, daß es weit in die stillen Täler herunterschallte. Die Alte mit dem Schlüsselbunde, die mich schon ängstlich im ganzen Schlosse zum Frühstück aufgesucht hatte, erschien nun auf der Terrasse über mir und verwunderte sich, daß ich so artig auf der Geige spielen konnte. Der alte grämliche Mann vom Schlosse fand sich dazu und verwunderte sich ebenfalls, endlich kamen auch noch die Mägde, und alles blieb oben voller Verwunderung stehen, und ich fingerte und schwenkte meinen Fiedelbogen immer künstlicher und hurtiger und spielte Kadenzen und Variationen, bis ich endlich ganz müde wurde.

Das war nun aber doch ganz seltsam auf dem Schlosse! Kein Mensch dachte da ans Weiterreisen. Das Schloß war auch gar kein Wirtshaus, sondern gehörte, wie ich von der Magd erfuhr, einem reichen Grafen. Wenn ich mich dann manchmal bei der Alten erkundigte, wie der Graf heiße, wo er wohne, da schmunzelte sie immer bloß wie den ersten Abend, da ich auf das Schloß kam, und kniff und winkte mir so pfiffig mit den Augen zu, als wenn sie nicht recht bei Sinnen wäre. Trank ich einmal an einem heißen Tage eine ganze Flasche Wein aus, so kicherten die Mägde gewiß, wenn sie die andere brachten, und als mich dann gar einmal nach einer Pfeife Tabak verlangte, ich ihnen durch Zeichen beschrieb, was ich wollte, da brachen alle in ein großes unvernünftiges Gelächter aus. Am verwunderlichsten war mir eine Nachtmusik, die sich oft, und gerade immer in den finstersten Nächten, unter meinem Fenster hören ließ. Es griff auf einer Gitarre immer nur von Zeit zu Zeit einzelne, ganz leise Klänge. Das eine Mal aber kam es mir vor, als wenn es dabei von unten »pst, pst!« heraufrief. Ich fuhr daher geschwind aus dem Bett und mit dem Kopf aus dem Fenster. »Holla, heda! Wer ist da draußen?« rief ich hinunter. Aber es antwortete niemand, ich hörte nur etwas sehr schnell durch die Gesträuche fortlaufen. Der große Hund im Hofe schlug über meinen Lärm ein paarmal an, dann war auf einmal alles wieder still, und die Nachtmusik ließ sich seitdem nicht wieder vernehmen.

Sonst hatte ich hier ein Leben, wie sich's ein Mensch nur immer in der Welt wünschen kann. Der gute Portier! Er wußte wohl, was er sprach, wenn er immer zu sagen pflegte, daß in Italien einem die Rosinen von selbst in den Mund wüchsen. Ich lebte auf dem einsamen Schlosse wie ein verwunschener Prinz. Wo ich hintrat, hatten die Leute eine große Ehrerbietung vor mir, obgleich sie schon alle wußten, daß ich keinen Heller in der Tasche hatte. Ich durfte nur sagen: »Tischchen, deck dich!«, so standen auch schon herrliche Speisen, Reis, Wein, Melonen und Parmesankäse da. Ich ließ mir's wohl schmecken, schlief in dem prächtigen Himmelbett, ging im Garten spazieren, musizierte und half wohl auch manchmal in der Gärtnerei nach. Oft lag ich auch stundenlang im Garten im hohen Grase, und der schmale Jüngling (es war ein Schüler und Verwandter der Alten, der eben jetzt hier zur Vakanz war) ging mit seinem langen Kaputrock in weiten Kreisen um mich herum und murmelte dabei wie ein Zauberer aus seinem Buche, worüber ich dann auch jedesmal einschlummerte. So verging ein Tag nach dem andern, bis ich am Ende anfing, von dem guten Essen und Trinken ganz melancholisch zu werden. Die Glieder gingen mir von dem ewigen Nichtstun ordentlich aus allen Gelenken, und es war mir, als würde ich vor Faulheit noch ganz auseinanderfallen.

In dieser Zeit saß ich einmal an einem schwülen Nachmittag im Wipfel eines hohen Baumes, der am Abhange stand, und wiegte mich auf den Ästen langsam über dem stillen, tiefen Tale. Die Bienen summten zwischen den Blättern um mich herum, sonst war alles wie ausgestorben, kein Mensch war zwischen den Bergen zu sehen, tief unter mir auf den stillen Waldwiesen ruhten die Kühe auf dem hohen Grase. Aber ganz von weitem kam der Klang eines Posthorns über die waldigen Gipfel herüber, bald kaum vernehmbar, bald wieder heller und deutlicher. Mir fiel dabei auf einmal ein altes Lied recht aufs Herz, das ich noch zu Hause auf meines Vaters Mühle von einem wandernden Handwerksburschen gelernt hatte, und ich sang:

> »Wer in die Fremde will wandern,
> Der muß mit der Liebsten gehn,
> Es jubeln und lassen die andern
> Den Fremden alleine stehn.
>
> Was wisset ihr, dunkele Wipfel,
> Von der alten, schönen Zeit?
> Ach, die Heimat hinter den Gipfeln,
> Wie liegt sie von hier so weit!
>
> Am liebsten betracht' ich die Sterne,
> Die schienen, wenn ich ging zu ihr,
> Die Nachtigall hör' ich so gerne,
> Sie sang vor der Liebsten Tür.
>
> Der Morgen, das ist meine Freude!
> Da steig' ich in stiller Stund'
> Auf den höchsten Berg in die Weite,
> Grüß' dich, Deutschland, aus Herzensgrund!«

Es war, als wenn mich das Posthorn bei meinem Liede aus der Ferne begleiten wollte. Es kam, während ich sang, zwischen den Bergen immer näher und näher, bis ich es endlich gar oben auf dem Schloßhofe schallen hörte. Ich sprang rasch vom Baume herunter. Da kam mir auch schon die Alte mit einem geöffneten Pakete aus dem Schlosse entgegen. »Da ist auch etwas für Sie mitgekommen«, sagte sie und reichte mir aus dem Paket ein kleines, niedliches Briefchen. Es war ohne Aufschrift, ich brach es schnell auf. Aber da wurde ich auch auf einmal im ganzen Gesicht so rot wie eine Päonie, und das Herz schlug mir so heftig, daß es die Alte merkte, denn das Briefchen war von – meiner schönen Frau, von der ich manches Zettelchen bei dem Herrn Amtmann gesehen hatte. Sie schrieb darin ganz kurz:

»Es ist alles wieder gut, alle Hindernisse sind beseitigt. Ich benutze heimlich diese Gelegenheit, um die erste zu sein, die Ihnen diese freudige Botschaft schreibt. Kommen, eilen Sie zurück. Es ist so öde hier, und ich kann kaum mehr leben, seit Sie von uns fort sind. Aurelie.«

Die Augen gingen mir über, als ich das las, vor Entzücken und Schreck und unsäglicher Freude. Ich schämte mich vor dem alten Weibe, die mich wieder abscheulich anschmunzelte, und flog wie ein Pfeil bis in den allereinsamsten Winkel des Gartens. Dort warf ich mich unter den Haselnußsträuchern ins Gras hin und las das Briefchen noch einmal, sagte die Worte auswendig für mich hin und las dann wieder und immer wieder, und die Sonnenstrahlen tanzten zwischen den Blättern hindurch über den Buchstaben, daß sie sich wie goldene und hellgrüne und rote Blüten vor meinen Augen ineinanderschlangen. »Ist sie am Ende gar nicht verheiratet gewesen?« dachte ich. »War der fremde Offizier damals vielleicht ihr Herr Bruder, oder ist er nun tot, oder bin ich toll oder ... Das ist alles einerlei!« rief ich endlich und sprang auf. »Nun ist's ja klar, sie liebt mich ja, sie liebt mich!«

Als ich aus dem Gesträuch wieder hervorkroch, neigte sich die Sonne zum Untergange. Der Himmel war rot, die Vögel sangen lustig in allen Wäldern, die Täler waren voller Schimmer, aber in meinem Herzen war es noch viel tausendmal schöner und fröhlicher!

Ich rief in das Schloß hinein, daß sie mir heut das Abendessen in den Garten herausbringen sollten. Die alte Frau, der alte grämliche Mann, die Mägde, sie mußten alle mit heraus und sich mit mir unter dem Baum an den gedeckten Tisch setzen. Ich zog meine Geige hervor und spielte und aß und trank dazwischen. Da wurden sie alle lustig, der alte Mann strich seine grämlichen Falten aus dem Gesicht und stieß ein Glas nach dem andern aus, die Alte plauderte in einem fort, Gott weiß was; die Mägde fingen an, auf dem Rasen miteinander zu tanzen. Zuletzt kam auch noch der blasse Student neugierig hervor, warf einige verächtliche Blicke auf das Spektakel und wollte ganz vornehm wieder weitergehen. Ich aber, nicht zu faul, sprang geschwind auf, erwischte ihn, eh' er sich's versah, bei seinem langen Überrock und walzte tüchtig mit ihm herum. Er strengte sich nun an, recht zierlich und neumodisch zu tanzen, und füßelte so emsig und künstlich, daß ihm der Schweiß vom Gesicht herunterfloß und die langen Rockschöße wie ein Rad um uns herumflogen. Dabei sah er mich aber manchmal so kurios mit verdrehten Augen an, daß ich mich ordentlich vor ihm zu fürchten anfing und ihn plötzlich wieder losließ.

Die Alte hätte nun gar zu gern erfahren, was in dem Briefe stand und warum ich denn eigentlich heut auf einmal so lustig wäre. Aber das war ja viel zu weitläufig, um es ihr auseinandersetzen zu können. Ich zeigte bloß auf ein paar Kraniche, die eben hoch über uns durch die Luft zogen, und sagte, ich müßte nun auch so fort und immer fort, weit in die Ferne! Da riß sie die vertrockneten Augen weit auf und blickte, wie ein Basilisk, bald auf mich, bald auf den alten Mann hinüber. Dann bemerkte ich, wie die beiden heimlich die Köpfe zusammensteckten, sooft ich mich wegwandte, und sehr eifrig miteinander sprachen und mich dabei zuweilen von der Seite ansahen.

Das fiel mir auf. Ich sann hin und her, was sie wohl mit mir vorhaben möchten. Darüber wurde ich stiller, die Sonne war auch schon lange untergegangen, und so wünschte ich allen gute Nacht und ging nachdenklich in meine Schlafstube hinauf.

Ich war innerlich so fröhlich und unruhig, daß ich noch lange im Zimmer auf und nieder ging. Draußen wälzte der Wind schwere, schwarze Wolken über den Schloßturm weg, man konnte kaum die nächsten Bergkoppen in der dicken Finsternis erkennen. Da kam es mir vor, als wenn ich im Garten unten Stimmen hörte. Ich löschte mein Licht aus und stellte mich ans Fenster. Die Stimmen schienen näher zu kommen, sprachen aber sehr leise miteinander. Auf einmal gab eine kleine Laterne, welche die eine Gestalt unterm Mantel trug, einen langen Schein. Ich erkannte nun den grämlichen Schloßverwalter und die alte Haushälterin. Das Licht blitzte über das Gesicht der Alten, das mir noch niemals so gräßlich vorgekommen war, und über ein langes Messer, das sie in der Hand hielt. Dabei konnte ich sehen, daß sie beide eben nach meinem Fenster hinaufsahen. Dann schlug der Verwalter seinen Mantel wieder dichter um, und es war bald alles wieder finster und still.

»Was wollen die«, dachte ich, »zu dieser Stunde noch draußen im Garten?« Mich schauderte, denn es fielen mir alle Mordgeschichten ein, die ich in meinem Leben gehört hatte, von Hexen und Räubern, welche Menschen abschlachten, um ihre Herzen zu fressen. Indem ich noch so nachdenke, kommen Menschentritte, erst die Treppe herauf, dann auf dem langen Gange, ganz leise, leise auf meine Tür zu, dabei war es, als wenn zuweilen Stimmen heimlich miteinander wisperten. Ich sprang schnell an das andere Ende der Stube hinter einen großen Tisch, den ich, sobald sich etwas rührte, vor mir aufheben und so mit aller Gewalt auf die Tür losrennen wollte. Aber in der Finsternis warf ich einen Stuhl um, daß es ein entsetzliches Gepolter gab. Da wurde es auf einmal ganz still draußen. Ich lauschte hinter dem Tisch und sah immerfort nach der Tür, als wenn ich sie mit den Augen durchstechen wollte, daß mir ordentlich die Augen zum Kopfe herausstanden. Als ich mich ein Weilchen wieder so ruhig verhalten hatte, daß man die Fliegen an der Wand hätte können gehen hören, vernahm ich, wie jemand von draußen ganz leise einen Schlüssel ins Schlüsselloch steckte. Ich wollte nun eben mit meinem Tische losfahren, da drehte es den Schlüssel langsam dreimal in der Tür um, zog ihn vorsichtig wieder heraus und schnurrte dann sachte über den Gang und die Treppe hinunter.

Ich schöpfte nun tief Atem. »Oho«, dachte ich, »da haben sie dich eingesperrt, damit sie's kommode haben, wenn ich erst fest eingeschlafen bin.« Ich untersuchte geschwind die Tür. Es war richtig, sie war fest verschlossen, ebenso die andere Tür, hinter der die hübsche, bleiche Magd schlief. Das war noch niemals geschehen, solange ich auf dem Schlosse wohnte.

Da saß ich nun in der Fremde gefangen! Die schöne Frau stand nun wohl an ihrem Fenster und sah über den stillen Garten nach der Landstraße hinaus, ob ich nicht schon am Zollhäuschen mit meiner Geige dahergestrichen komme, die Wolken flogen rasch über den Himmel, die Zeit verging – und ich konnte nicht fort von hier! Ach, mir war so weh im Herzen, ich wußte gar nicht mehr, was ich tun sollte. Dabei war mir's auch immer, wenn die Blätter draußen rauschten oder eine Ratte am Boden knosperte, als wäre die Alte durch eine verborgene Tapetentür heimlich hereingetreten und lauere und schleiche leise mit dem langen Messer durchs Zimmer.

Als ich so voll Sorgen auf dem Bette saß, hörte ich auf einmal seit langer Zeit wieder die Nachtmusik unter meinen Fenstern. Bei dem ersten Klange der Gitarre war es mir nicht anders, als wenn mir ein Morgenstrahl plötzlich durch die Seele führe. Ich riß das Fenster auf und rief leise herunter, daß ich wach sei. »Pst, pst!« antwortete es von unten. Ich besann mich nun nicht lange, steckte das Briefchen und meine Geige zu mir, schwang mich aus dem Fenster und kletterte an der alten, zersprungenen Mauer hinab, indem ich mich mit den Händen an den Sträuchern, die aus den Ritzen wuchsen, anhielt. Aber einige morsche Ziegel gaben nach, ich kam ins Rutschen, es ging immer rascher und rascher mit mir, bis ich endlich mit beiden Füßen aufplumpte, daß mir's im Gehirnkasten knisterte.

Kaum war ich auf diese Art unten im Garten angekommen, so umarmte mich jemand mit solcher Vehemenz, daß ich laut aufschrie. Der gute Freund aber hielt mir schnell die Finger auf den Mund, faßte mich bei der Hand und führte mich dann aus dem Gesträuch ins Freie hinaus. Da erkannte ich mit Verwunderung den guten, langen Studenten, der die Gitarre an einem breiten seidenen Bande um den Hals hängen hatte. Ich beschrieb ihm nun in größter Geschwindigkeit, daß ich aus dem Garten hinauswollte. Er schien aber das alles schon lange zu wissen und führte mich auf allerlei verdeckten Umwegen zu dem untern Tore in der hohen Gartenmauer. Aber da war nun auch das Tor wieder fest verschlossen! Doch der Student hatte auch das schon vorbedacht, er zog einen großen Schlüssel hervor und schloß behutsam auf.

Als wir nun in den Wald hinaustraten und ich ihn eben noch um den besten Weg zur nächsten Stadt fragen wollte, stürzte er plötzlich vor mir auf ein Knie nieder, hob die eine Hand hoch in die Höhe und fing an zu fluchen und zu schwören, daß es entsetzlich anzuhören war. Ich wußte gar nicht, was er wollte, ich hörte nur immerfort: »Idio« und »cuore« und »amore« und »furore«! Als er aber am Ende gar anfing, auf beiden Knien schnell und immer näher auf mich zuzurutschen, da wurde mir auf einmal ganz grauslich, ich merkte wohl, daß er verrückt war, und rannte, ohne mich umzusehen, in den dicksten Wald hinein.

Ich hörte nun den Studenten wie rasend hinter mir dreinschreien. Bald darauf gab noch eine andere grobe Stimme vom Schlosse her Antwort. Ich dachte mir nun wohl, daß sie mich aufsuchen würden. Der Weg war mir unbekannt, die Nacht finster, ich konnte ihnen leicht wieder in die Hände fallen. Ich kletterte daher auf den Wipfel einer hohen Tanne hinauf, um bessere Gelegenheit abzuwarten.

Von dort konnte ich hören, wie auf dem Schlosse eine Stimme nach der andern wach wurde. Einige Windlichter zeigten sich oben und warfen ihre wilden roten Scheine über das alte Gemäuer des Schlosses und weit vom Berge in die schwarze Nacht hinein. Ich befahl meine Seele dem lieben Gott, denn das verworrene Getümmel wurde immer lauter und näherte sich immer mehr und mehr. Endlich stürzte der Student mit einer Fackel unter meinem Baume vorüber, daß ihm die Rockschöße weit im Winde nachflogen. Dann schienen sie sich alle nach und nach auf eine andere Seite des Berges hinzuwenden, die Stimmen schallten immer ferner und ferner, und der Wind rauschte wieder durch den stillen Wald. Da stieg ich schnell von dem Baume herab und lief atemlos weiter in das Tal und die Nacht hinaus.

Siebentes Kapitel

Ich war Tag und Nacht eilig fortgegangen, denn es sauste mir lange in den Ohren, als kämen die von dem Berg mit ihrem Rufen, mit Fackeln und langen Messern noch immer hinter mir drein. Unterwegs erfuhr ich, daß ich nur noch ein paar Meilen von Rom wäre. Da erschrak ich ordentlich vor Freude. Denn von dem prächtigen Rom hatte ich schon zu Hause als Kind viele wunderbare Geschichten gehört, und wenn ich dann an Sonntagnachmittagen vor der Mühle im Grase lag und alles ringsum so stille war, da dachte ich mir Rom wie die ziehenden Wolken über mir, mit wundersamen Bergen und Abgründen am blauen Meer und goldnen Toren und hohen glänzenden Türmen, von denen Engel in goldnen Gewändern sangen. Die Nacht war schon wieder lange hereingebrochen, und der Mond schien prächtig, als ich endlich auf einem Hügel aus dem Walde heraustrat und auf einmal die Stadt in der Ferne vor mir sah. Das Meer leuchtete von weitem, der Himmel blitzte und funkelte unübersehbar mit unzähligen Sternen, darunter lag die heilige Stadt, von der man nur einen langen Nebelstreif erkennen konnte, wie ein eingeschlafener Löwe auf der stillen Erde, und Berge standen daneben wie dunkle Riesen, die ihn bewachten.

Ich kam nun zuerst auf eine große, einsame Heide, auf der es so grau und still war wie im Grabe. Nur hin und her stand ein altes verfallenes Gemäuer oder ein trockener, wunderbar gewundener Strauch; manchmal schwirrten Nachtvögel durch die Luft, und mein eigener Schatten strich immerfort lang und dunkel in der Einsamkeit neben mir her. Sie sagen, daß hier eine uralte Stadt und die Frau Venus begraben liegt und die alten Heiden zuweilen noch aus ihren Gräbern heraufsteigen und bei stiller Nacht über die Heide gehn und die Wanderer verwirren. Aber ich ging immer gerade fort und ließ mich nichts anfechten. Denn die Stadt stieg immer deutlicher und prächtiger vor mir herauf, und die hohen Burgen und Tore und goldenen Kuppeln glänzten so herrlich im hellen Mondschein, als ständen wirklich die Engel in goldnen Gewändern auf den Zinnen und sängen durch die stille Nacht herüber.

So zog ich denn endlich erst an kleinen Häusern vorbei, dann durch ein prächtiges Tor in die berühmte Stadt Rom hinein. Der Mond schien zwischen den Palästen, als wäre es heller Tag, aber die Straßen waren schon alle leer, nur hin und wieder lag ein lumpiger Kerl, wie ein Toter, in der lauen Nacht auf den Marmorschwellen und schlief. Dabei rauschten die Brunnen auf den stillen Plätzen, und die Gärten an der Straße säuselten dazwischen und erfüllten die Luft mit erquickenden Düften.

Wie ich nun eben so weiter fortschlendere und vor Vergnügen, Mondschein und Wohlgeruch gar nicht weiß, wohin ich mich wenden soll, läßt sich tief aus dem einen Garten eine Gitarre hören. »Mein Gott«, denk' ich, »da ist mir wohl der tolle Student mit dem langen Überrock heimlich nachgesprungen!« Darüber fing eine Dame in dem Garten an, überaus lieblich zu singen. Ich stand ganz wie bezaubert, denn es war die Stimme der schönen gnädigen Frau und dasselbe welsche Liedchen, das sie gar oft zu Hause am offenen Fenster gesungen hatte.

Da fiel mir auf einmal die schöne alte Zeit mit solcher Gewalt aufs Herz, daß ich bitterlich hätte weinen mögen: der stille Garten vor dem Schloß in früher Morgenstunde, und wie ich da hinter dem Strauch so glücklich war, ehe mir die dumme Fliege in die Nase flog. Ich konnte mich nicht länger halten. Ich kletterte auf den vergoldeten Zieraten über das Gittertor und schwang mich in den Garten hinunter, woher der Gesang kam. Da bemerkte ich, daß eine schlanke, weiße Gestalt von fern hinter einer Pappel stand und mir erst verwundert zusah, als ich über das Gitterwerk kletterte, dann aber auf einmal so schnell durch den dunklen Garten nach dem Hause zuflog, daß man sie im Mondschein kaum füßeln sehen konnte. »Das war sie selbst!« rief ich aus, und das Herz schlug mir vor Freude, denn ich erkannte sie gleich an den kleinen, geschwinden Füßchen wieder. Es war nur schlimm, daß ich mir beim Herunterspringen vom Gartentore den rechten Fuß etwas vertreten hatte, ich mußte daher erst ein paarmal mit dem Beine schlenkern, eh' ich zu dem Hause nachspringen konnte. Aber da hatten sie unterdes Tür und Fenster fest verschlossen. Ich klopfte ganz bescheiden an, horchte und klopfte wieder. Da war es nicht anders, als wenn es drinnen leise flüsterte und kicherte, ja einmal kam es mir vor, als wenn zwei helle Augen zwischen den Jalousien im Mondschein hervorfunkelten. Dann war auf einmal wieder alles still.

»Sie weiß nur nicht, daß *ich* es bin«, dachte ich, zog die Geige, die ich allzeit bei mir trage, hervor, spazierte damit auf dem Gange vor dem Haus auf und nieder und spielte und sang das Lied von der schönen Frau und spielte voll Vergnügen alle meine Lieder durch, die ich damals in den schönen Sommernächten im Schloßgarten oder auf der Bank vor dem Zollhause gespielt hatte, daß es weit bis in die Fenster des Schlosses hinüberklang. Aber es half alles nichts, es rührte und regte sich niemand im ganzen Hause. Da steckte ich endlich meine Geige traurig ein und legte mich auf die Schwelle vor der Hautür hin, denn ich war sehr müde von dem langen Marsch. Die Nacht war warm, die Blumenbeete vor dem Hause dufteten lieblich, eine Wasserkunst weiter unten im Garten plätscherte immerfort dazwischen. Mir träumte von himmelblauen Blumen, von schönen, dunkelgrünen, einsamen Gründen, wo Quellen rauschten und Bächlein gingen und bunte Vögel wunderbar sangen, bis ich endlich fest einschlief.

Als ich aufwachte, rieselte mir die Morgenluft durch alle Glieder. Die Vögel waren schon wach und zwitscherten auf den Bäumen um mich herum, als ob sie mich für'n Narren haben wollten. Ich sprang rasch auf und sah mich nach allen Seiten um. Die Wasserkunst im Garten rauschte noch immerfort, aber in dem Hause war kein Laut zu vernehmen. Ich guckte durch die grünen Jalousien in das eine Zimmer hinein. Da war ein Sofa und ein großer runder Tisch mit grauer Leinwand verhangen, die Stühle standen alle in großer Ordnung und unverrückt an den Wänden herum; von außen aber waren die Jalousien an allen Fenstern heruntergelassen, als wäre das ganze Haus schon seit vielen Jahren unbewohnt. Da überfiel mich ein ordentliches Grausen vor dem einsamen Hause und Garten und vor der gestrigen weißen Gestalt. Ich lief, ohne mich weiter umzusehen, durch die stillen Lauben und Gänge und kletterte geschwind wieder an dem Gartentor hinauf. Aber da blieb ich wie verzaubert sitzen, als ich auf einmal von dem hohen Gitterwerk in die prächtige Stadt hinuntersah. Da blitzte und funkelte die Morgensonne weit über die Dächer und in die langen stillen Straßen hinein, daß ich laut aufjauchzen mußte und voller Freude auf die Straße hinuntersprang.

Aber wohin sollt' ich mich wenden in der großen fremden Stadt? Auch ging mir die konfuse Nacht und das welsche Lied der schönen gnädigen Frau von gestern noch immer im Kopfe hin und her. Ich setzte mich endlich auf den steinernen Springbrunnen, der mitten auf dem einsamen Platze stand, wusch mir in dem klaren Wasser die Augen hell und sang dazu:

»Wenn ich ein Vöglein wär',
Ich wüßt' wohl, wovon ich sänge,
Und auch zwei Flüglein hätt',
Ich wüßt' wohl, wohin ich mich schwänge!«

»Ei, lustiger Gesell, du singst ja wie eine Lerche beim ersten Morgenstrahl!« sagte da auf einmal ein junger Mann zu mir, der während meines Liedes an den Brunnen herangetreten war. Mir aber, da ich so unverhofft deutsch sprechen hörte, war es nicht anders im Herzen, als wenn die Glocke aus meinem Dorfe am stillen Sonntagmorgen plötzlich zu mir herüberklänge. »Gott willkommen, bester Herr Landsmann!« rief ich aus und sprang voller Vergnügen von dem steinernen Brunnen herab. Der junge Mann lächelte und sah mich von oben bis unten an. »Aber was treibt Ihr denn eigentlich hier in Rom?« fragte er endlich. Da wußte ich nun nicht gleich, was ich sagen sollte, denn daß ich soeben der schönen gnädigen Frau nachspränge, mocht' ich ihm nicht sagen. »Ich treibe«, erwiderte ich, »mich selbst ein bißchen herum, um die Welt zu sehn.« – »So, so!« versetzte der junge Mann und lachte laut auf. »Da haben wir ja *ein* Metier. Das tu' ich eben auch, um die Welt zu sehn und hinterdrein abzumalen.« – »Also ein Maler!« rief ich fröhlich aus, denn mir fiel dabei Herr Leonhard und Guido ein. Aber der Herr ließ mich nicht zu Worte kommen. »Ich denke«, sagte er, »du gehst mit und frühstückst bei mir, da will ich dich selbst abkonterfeien, daß es eine Freude sein soll!« Das ließ ich mir gern gefallen und wanderte nun mit dem Maler durch die leeren Straßen, wo nur hin und wieder erst einige Fensterladen aufgemacht wurden und bald ein Paar weiße Arme, bald ein verschlafenes Gesichtchen in die frische Morgenluft hinausguckte.

Er führte mich lange hin und her durch eine Menge konfuser, enger und dunkler Gassen, bis wir endlich in ein altes verräuchertes Haus hineinwuschten. Dort stiegen wir eine finstere Treppe hinauf, dann wieder eine, als wenn wir in den Himmel hineinsteigen wollten. Wir standen nun unter dem Dache vor einer Tür still, und der Maler fing an, in allen Taschen vorn und hinten mit großer Eilfertigkeit zu suchen. Aber er hatte heute früh vergessen zuzuschließen und den Schlüssel in der Stube gelassen. Denn er war, wie er mir unterwegs erzählte, noch vor Tagesanbruch vor die Stadt hinausgegangen, um die Gegend bei Sonnenaufgang zu betrachten. Er schüttelte nur mit dem Kopfe und stieß die Tür mit dem Fuße auf.

Das war eine lange, lange, große Stube, daß man darin hätte tanzen können, wenn nur nicht auf dem Fußboden alles vollgelegen hätte. Aber da lagen Stiefel, Papiere, Kleider, umgeworfene Farbentöpfe, alles durcheinander, in der Mitte der Stube standen große Gerüste, wie man zum Birnenabnehmen braucht, ringsum an der Wand waren große Bilder angelehnt. Auf einem langen hölzernen Tische war eine Schüssel, worauf neben einem Farbenkleckse Brot und Butter lag. Eine Flasche Wein stand daneben.

»Nun eßt und trinkt erst, Landsmann!« rief mir der Maler zu. Ich wollte mir auch sogleich ein paar Butterschnitten schmieren, aber da war wieder kein Messer da. Wir mußten erst lange in den Papieren auf dem Tische herumraschen, ehe wir es unter einem großen Pakete endlich fanden. Darauf riß der Maler das Fenster auf, daß die frische Morgenluft fröhlich das ganze Zimmer durchdrang. Das war eine herrliche Aussicht weit über die Stadt weg in die Berge hinein, wo die Morgensonne lustig die weißen Landhäuser und Weingärten beschien. »Vivat unser kühlgrünes Deutschland da hinter den Bergen!« rief der Maler aus und trank dazu aus der Weinflasche, die er mir dann hinreichte. Ich tat ihm höflich Bescheid und grüßte in meinem Herzen die schöne Heimat in der Ferne noch vieltausendmal.

Der Maler aber hatte unterdes das hölzerne Gerüst, worauf ein sehr großes Papier aufgespannt war, näher an das Fenster herangerückt. Auf dem Papier war bloß mit großen schwarzen Strichen eine alte Hütte gar künstlich abgezeichnet. Darin saß die Heilige Jungfrau mit einem überaus schönen, freudigen und doch recht wehmütigen Gesichte. Zu ihren Füßen auf einem Nestlein von Stroh lag das Jesuskind, sehr freundlich, aber mit großen, ernsthaften Augen. Draußen auf der Schwelle der offenen Hütte aber knieten zwei Hirtenknaben mit Stab und Tasche. »Siehst du«, sagte der Maler, »dem einen Hirtenknaben da will ich deinen Kopf aufsetzen, so kommt dein Gesicht doch auch etwas unter die Leute, und will's Gott, sollen sie sich daran noch erfreuen, wenn wir beide schon lange begraben sind und selbst so still und fröhlich vor der Heiligen Mutter und ihrem Sohne knien wie die glücklichen Jungen hier.« Darauf ergriff er einen alten Stuhl, von dem ihm aber, da er ihn aufheben wollte, die halbe Lehne in der Hand blieb. Er paßte ihn geschwind wieder zusammen, schob ihn vor das Gerüst hin, und ich mußte mich nun daraufsetzen und mein Gesicht etwas von der Seite, nach dem Maler zu, wenden. So saß ich ein paar Minuten ganz still, ohne mich zu rühren. Aber ich weiß nicht, zuletzt konnt' ich's gar nicht recht aushalten, bald juckte mich's da, bald juckte mich's dort. Auch hing mir gerade gegenüber ein zerbrochener halber Spiegel, da mußt' ich immerfort hineinsehen und machte, wenn er eben malte, aus Langerweile allerlei Gesichter und Grimassen. Der Maler, der es bemerkte, lachte endlich laut auf und winkte mir mit der Hand, daß ich wieder aufstehen sollte. Mein Gesicht auf dem Hirten war auch schon fertig und sah so klar aus, daß ich mir ordentlich selber gefiel.

Er zeichnete nun in der frischen Morgenkühle immer fleißig fort, während er ein Liedchen dazu sang und zuweilen durch das offene Fenster in die prächtige Gegend hinausblickte. Ich aber schnitt mir unterdes noch eine Butterstulle und ging damit im Zimmer auf und ab und besah mir die Bilder, die an der Wand aufgestellt waren. Zwei darunter gefielen mir ganz besonders gut. »Habt Ihr die auch gemalt?« frug ich den Maler. »Warum nicht gar!« erwiderte er. »Die sind von den berühmten Meistern Leonardo da Vinci und Guido Reni – aber da weißt du ja doch nichts davon!« Mich ärgerte der Schluß der Rede. »Oh«, versetzte ich ganz gelassen, »die beiden Meister kenne ich wie meine eigne Tasche.« Da machte er große Augen. »Wieso?« frug er geschwind. »Nun«, sagte ich, »bin ich nicht mit ihnen Tag und Nacht fortgereist, zu Pferde und zu Fuß und zu Wagen, daß mir der Wind am Hute pfiff, und hab' sie alle beide in der Schenke verloren und bin dann allein in ihrem Wagen mit Extrapost immer weitergefahren, daß der Bombenwagen immerfort auf zwei Rädern über die entsetzlichen Steine flog, und –«
– »Oho! Oho!« unterbrach mich der Maler und sah mich starr an, als wenn er mich für verrückt hielte. Dann aber brach er plötzlich in ein lautes Gelächter aus. »Ach«, rief er, »nun versteh' ich erst, du bist mit zwei Malern gereist, die Guido und Leonhard hießen?« Da ich das bejahte, sprang er rasch auf und sah mich nochmals von oben bis unten ganz genau an. »Ich glaube gar«, sagte er, »am Ende – spielst du die Violine?« Ich schlug auf meine Rocktasche, daß die Geige darin einen Klang gab. »Nun, wahrhaftig«, versetzte der Maler, »da war eine Gräfin aus Deutschland hier, die hat sich in allen Winkeln von Rom nach den beiden Malern und nach einem jungen Musikanten mit der Geige erkundigen lassen.« – »Eine junge Gräfin aus Deutschland?« rief ich voller Entzücken aus. »Ist der Portier mit?« – »Ja, das weiß ich alles nicht«, erwiderte der Maler, »ich sah sie nur einige Male bei einer Freundin von ihr, die aber auch nicht in der Stadt wohnt. – Kennst du die?« fuhr er fort, indem er in einem Winkel plötzlich eine Leinwanddecke von einem großen Bilde in die Höhe hob. Da war mir's doch nicht anders, als

wenn man in einer finstern Stube die Laden aufmacht und einem die Morgensonne auf einmal über die Augen blitzt, es war – die schöne gnädige Frau! Sie stand in einem schwarzen Samtkleide im Garten und hob mit einer Hand den Schleier vom Gesicht und sah still und freundlich in eine weite, prächtige Gegend hinaus. Je länger ich hinsah, je mehr kam es mir vor, als wäre es der Garten am Schlosse und die Blumen und Zweige wiegten sich leise im Wind und unten in der Tiefe sähe ich mein Zollhäuschen und die Landstraße weit durchs Grüne und die Donau und die fernen blauen Berge.

»Sie ist's, sie ist's!« rief ich endlich, erwischte meinen Hut und rannte rasch zur Tür hinaus, die vielen Treppen hinunter, und hörte nur noch, daß mir der verwunderte Maler nachschrie, ich sollte gegen Abend wiederkommen, da könnten wir vielleicht mehr erfahren.

Achtes Kapitel

Ich lief mit großer Eilfertigkeit durch die Stadt, um mich sogleich wieder in dem Gartenhause zu melden, wo die schöne Frau gestern abend gesungen hatte. Auf den Straßen war unterdes alles lebendig geworden, Herren und Damen zogen im Sonnenschein und neigten sich und grüßten bunt durcheinander, prächtige Karossen rasselten dazwischen, und von allen Türmen läutete es zur Messe, daß die Klänge über dem Gewühl wunderbar in der klaren Luft durcheinanderhallten. Ich war wie betrunken von Freude und von dem Rumor und rannte in meiner Fröhlichkeit immer gerade fort, bis ich zuletzt gar nicht mehr wußte, wo ich stand. Es war wie verzaubert, als wäre der stille Platz mit dem Brunnen und der Garten und das Haus bloß ein Traum gewesen und beim hellen Tageslichte alles wieder von der Erde verschwunden.

Fragen konnte ich nicht, denn ich wußte den Namen des Platzes nicht. Endlich fing es auch an sehr schwül zu werden, die Sonnenstrahlen schossen recht wie sengende Pfeile auf das Pflaster, die Leute verkrochen sich in die Häuser, die Jalousien wurden überall wieder zugemacht, und es war auf einmal wie ausgestorben auf den Straßen. Ich warf mich zuletzt ganz verzweifelt vor einem schönen großen Hause nieder, vor dem ein Balkon mit Säulen breiten Schatten warf, und betrachtete bald die stille Stadt, die in der plötzlichen Einsamkeit bei heller Mittagsstunde ordentlich schauerlich aussah, bald wieder den tiefblauen, ganz wolkenlosen Himmel, bis ich endlich vor großer Ermüdung gar einschlummerte. Da träumte mir, ich läge bei meinem Dorfe auf einer einsamen, grünen Wiese, ein warmer Sommerregen sprühte und glänzte in der Sonne, die soeben hinter den Bergen unterging, und wie die Regentropfen auf den Rasen fielen, waren es lauter schöne, bunte Blumen, so daß ich davon ganz überschüttet war.

Aber wie erstaunte ich, als ich erwachte und wirklich eine Menge schöner, frischer Blumen auf und neben mir liegen sah! Ich sprang auf, konnte aber nichts Besonderes bemerken als bloß in dem Hause über mir ein Fenster ganz oben voll von duftenden Sträuchern und Blumen, hinter denen ein Papagei unablässig plauderte und kreischte. Ich las nun die zerstreuten Blumen auf, band sie zusammen und steckte mir den Strauß vorn ins Knopfloch. Dann aber fing ich an, mit dem Papagei ein wenig zu diskutieren, denn es freute mich, wie er in seinem vergoldeten Gebauer mit allerlei Grimassen herauf und herunter stieg und sich dabei immer ungeschickt über die große Zehe trat. Doch ehe ich mich's versah, schimpfte er mich: »Furfante!« Wenn es gleich eine unvernünftige Bestie war, so ärgerte es mich doch. Ich schimpfte ihn wieder, wir gerieten endlich beide in Hitze, je mehr ich auf deutsch schimpfte, je mehr gurgelte er auf italienisch wieder auf mich los.

Auf einmal hörte ich jemand hinter mir lachen. Ich drehte mich rasch um. Es war der Maler von heute früh. »Was stellst du wieder für tolles Zeug an!« sagte er. »Ich warte schon eine halbe Stunde auf dich. Die Luft ist wieder kühler, wir wollen in einen Garten vor der Stadt gehen, da wirst du mehrere Landsleute finden und vielleicht etwas Näheres von der deutschen Gräfin erfahren.«

Darüber war ich außerordentlich erfreut, und wir traten unsern Spaziergang sogleich an, während ich den Papagei noch lange hinter mir dreinschimpfen hörte.

Nachdem wir draußen vor der Stadt auf schmalen, steinichten Fußsteigen lange zwischen Landhäusern und Weingärten hinaufgestiegen waren, kamen wir an einen kleinen hochgelegenen Garten, wo mehrere junge Männer und Mädchen im Grünen um einen runden Tisch saßen. Sobald wir hineintraten, winkten uns alle zu, uns still zu verhalten, und zeigten auf die andere Seite des Gartens hin. Dort saßen in einer großen, grünverwachsenen Laube zwei schöne Frauen an einem Tisch einander gegenüber. Die eine sang, die andere spielte Gitarre dazu. Zwischen beiden hinter dem Tische stand ein freundlicher Mann, der mit einem kleinen Stäbchen zuweilen den Takt schlug. Dabei funkelte die Abendsonne durch das Weinlaub, bald über die Weinflaschen und Früchte, womit der Tisch in der Laube besetzt war, bald über die vollen, runden, blendendweißen Achseln der Frau mit der Gitarre. Die andere war wie verzückt und sang auf italienisch ganz außerordentlich künstlich, daß ihr die Flechsen am Halse aufschwollen.

Wie sie nun soeben mit zum Himmel gerichteten Augen eine lange Kadenz anhielt und der Mann neben ihr mit aufgehobenem Stäbchen auf den Augenblick paßte, wo sie wieder in den Takt einfallen würde, und keiner im ganzen Garten zu atmen sich unterstand, da flog plötzlich die Gartentür weit auf, und ein ganz erhitztes Mädchen und hinter ihr ein junger Mensch mit einem feinen, bleichen Gesicht stürzten in großem Gezänke herein. Der erschrokkene Musikdirektor blieb mit seinem aufgehobenen Stabe wie ein versteinerter Zauberer stehen, obgleich die Sängerin schon längst den langen Triller plötzlich abgeschnappt hatte und zornig aufgestanden war. Alle übrigen zischten den Neuangekommenen wütend an. »Barbar!« rief ihm einer von dem runden Tische zu. »Du rennst da mitten in das sinnreiche Tableau von der schönen Beschreibung hinein, welche der selige Hoffmann, Seite 347 des ›Frauentaschenbuches für 1816‹, von dem schönsten Hummelschen Bilde gibt, das im Herbst 1814 auf der Berliner Kunstausstellung zu sehen war!« Aber das half alles nichts. »Ach was!« entgegnete der junge Mann. »Mit euren Tableaus von Tableaus! Mein selbsterfundenes Bild für die andern und mein Mädchen für mich allein! So will ich es halten! O du Ungetreue, du Falsche!« fuhr er dann von neuem gegen das arme Mädchen fort. »Du kritische Seele, die in der Malerkunst nur den Silberblick und in der Dichterkunst nur den goldenen Faden sucht und keinen Liebsten, sondern nur lauter Schätze hat! Ich wünsche dir hinfüro anstatt eines ehrlichen malerischen Pinsels einen alten Duka mit einer ganzen Münzgrube von Diamanten auf der Nase und mit hellem Silberblick auf der kahlen Platte und mit Goldschnitt auf den paar noch übrigen Haaren! Ja, nur heraus mit dem verruchten Zettel, den du da vorhin vor mir versteckt hast! Was hast du wieder angezettelt? Von wem ist der Wisch, und an wen ist er?«

Aber das Mädchen sträubte sich standhaft, und je eifriger die andern den erbosten jungen Menschen umgaben und ihn mit großem Lärm zu trösten und zu beruhigen suchten, desto erhitzter und toller wurde er von dem Rumor, zumal da das Mädchen auch ihr Mäulchen nicht halten konnte, bis sie endlich weinend aus dem verworrenen Knäuel hervorflog und sich auf einmal ganz unverhofft an meine Brust stürzte, um bei mir Schutz zu suchen. Ich stellte mich auch sogleich in die gehörige Positur, aber da die andern in dem Getümmel soeben nicht auf uns acht gaben, kehrte sie plötzlich das Köpfchen nach mir herauf und flüsterte mir mit ganz ruhigem Gesicht sehr leise und schnell ins Ohr: »Du abscheulicher Einnehmer! Um dich muß ich das alles leiden. Da, steck den fatalen Zettel geschwind zu dir, du findest darauf bemerkt, wo wir wohnen. Also zur bestimmten Stunde, wenn du ins Tor kommst, immer die einsame Straße rechts fort!«

Ich konnte vor Verwunderung kein Wort hervorbringen, denn wie ich sie nun erst recht ansah, erkannte ich sie auf einmal: Es war wahrhaftig die schnippische Kammerjungfer vom Schloß, die mir damals an dem schönen Sonnabende die Flasche mit Wein brachte. Sie war mir sonst niemals so schön vorgekommen, als da sie sich jetzt so erhitzt an mich lehnte, daß die schwarzen Locken über meinem Arm herabhingen. »Aber, verehrte Mamsell«, sagte ich voller Erstaunen, »wie kommen Sie –?« – »Um Gottes willen, still nur, jetzt still!« erwiderte sie und sprang geschwind von mir fort auf die andere Seite des Gartens, eh' ich mich noch auf alles recht besinnen konnte.

Unterdes hatten die andern ihr erstes Thema fast ganz vergessen, zankten aber untereinander recht vergnüglich weiter, indem sie dem jungen Menschen beweisen wollten, daß er eigentlich betrunken sei, was sich für einen ehrliebenden Maler gar nicht schicke. Der runde fixe Mann aus der Laube, der – wie ich nachher erfuhr – ein großer Kenner und Freund von Künsten war und aus Liebe zu den Wissenschaften gern alles mitmachte, hatte auch sein Stäbchen weggeworfen und flankierte mit seinem fetten Gesicht, das vor Freundlichkeit ordentlich glänzte, eifrig mitten in dem dicksten Getümmel herum, um alles zu vermitteln und zu beschwichtigen, während er dazwischen immer wieder die lange Kadenz und das schöne Tableau bedauerte, das er mit vieler Mühe zusammengebracht hatte.

Mir aber war es so sternklar im Herzen wie damals an dem glückseligen Sonnabend, als ich am offenen Fenster vor der Weinflasche bis tief in die Nacht hinein auf der Geige spielte. Ich holte, da der Rumor gar kein Ende nehmen wollte, frisch meine Violine wieder hervor und spielte, ohne mich lange zu besinnen, einen welschen Tanz auf, den sie dort im Gebirge tanzen und den ich auf dem alten, einsamen Waldschlosse gelernt hatte.

Da reckten alle die Köpfe in die Höh'. »Bravo, bravissimo, ein deliziöser Einfall!« rief der lustige Kenner von den Künsten und lief sogleich von einem zum andern, um ein ländliches Divertissement, wie er's nannte, einzurichten. Er selbst machte den Anfang, indem er der Dame die Hand reichte, die vorhin in der Laube gespielt hatte. Er begann darauf außerordentlich künstlich zu tanzen, schrieb mit den Fußspitzen allerlei Buchstaben auf den Rasen, schlug ordentliche Triller mit den Füßen und machte von Zeit zu Zeit ganz passable Luftsprünge. Aber er bekam es bald satt, denn er war etwas korpulent. Er machte immer kürzere und ungeschicktere Sprünge, bis er endlich ganz aus dem Kreise heraustrat und heftig hustete und sich mit seinem schneeweißen Schnupftuche unaufhörlich den Schweiß abwischte. Unterdes hatte auch der junge Mensch, der nun wieder ganz gescheut worden war, aus dem Wirtshause Kastagnetten herbeigeholt, und ehe ich mich's versah, tanzten alle unter den Bäumen bunt durcheinander. Die untergegangene Sonne warf noch einige rote Widerscheine zwischen die dunklen Schatten und über das alte Gemäuer und die von Efeu wild überwachsenen, halb versunkenen Säulen hinten im Garten, während man von der andern Seite tief unter den Weinbergen die Stadt Rom in den Abendgluten liegen sah. Da tanzten sie alle lieblich im Grünen in der klaren stillen Luft, und mir lachte das Herz recht im Leibe, wie die schlanken Mädchen, und die Kammerjungfer mitten unter ihnen, sich so mit aufgehobenen Armen wie heidnische Waldnymphen zwischen dem Laubwerk schwangen und dabei jedesmal in der Luft mit den Kastagnetten lustig dazu schnalzten. Ich konnte mich nicht länger halten, ich sprang mitten unter sie hinein und machte, während ich dabei immerfort geigte, recht artige Figuren.

Ich mochte eine ziemliche Weile so im Kreise herumgesprungen sein und merkte gar nicht, daß die andern unterdes anfingen müde zu werden und sich nach und nach von dem Rasenplatz verloren. Da zupfte mich jemand von hinten tüchtig an den Rockschößen. Es war die Kammerjungfer. »Sei kein Narr«, sagte sie leise, »du springst ja wie ein Ziegenbock! Studiere deinen Zettel ordentlich und komm bald nach, die schöne Gräfin wartet.« Und damit schlüpfte sie in der Dämmerung zur Gartenpforte hinaus und war bald zwischen den Weingärten verschwunden.

Mir klopfte das Herz, ich wäre am liebsten gleich nachgesprungen. Zum Glück zündete der Kellner, da es schon dunkel geworden war, in einer großen Laterne an der Gartentür Licht an. Ich trat heran und zog geschwind den Zettel heraus. Da war ziemlich kritzlig mit Bleifeder das Tor und die Straße beschrieben, wie mir die

Kammerjungfer vorhin gesagt hatte. Dann stand: »Elf Uhr an der kleinen Tür.«

Da waren noch ein paar lange Stunden hin! Ich wollte mich dessenungeachtet sogleich auf den Weg machen, denn ich hatte keine Rast und Ruhe mehr; aber da kam der Maler, der mich hiehergebracht hatte, auf mich los. »Hast du das Mädchen gesprochen?« frug er. »Ich seh' sie nun nirgends mehr; das war das Kammermädchen von der deutschen Gräfin.« – »Still, still!« erwiderte ich. »Die Gräfin ist noch in Rom.« – »Nun, desto besser«, sagte der Maler, »so komm und trink mit uns auf ihre Gesundheit!« und damit zog er mich, wie sehr ich mich auch sträubte, in den Garten zurück.

Da war es unterdes ganz öde und leer geworden. Die lustigen Gäste wanderten, jeder sein Liebchen am Arm, nach der Stadt zu, und man hörte sie noch durch den stillen Abend zwischen den Weingärten plaudern und lachen, immer ferner und ferner, bis sich endlich die Stimmen tief in dem Tale im Rauschen der Bäume und des Stromes verloren. Ich war noch mit meinem Maler und dem Herrn Eckbrecht – so hieß der andere junge Maler, der sich vorhin so herumgezankt hatte – allein oben zurückgeblieben. Der Mond schien prächtig im Garten zwischen die hohen, dunklen Bäume herein, ein Licht flackerte im Winde auf dem Tische vor uns und schimmerte über den vielen vergoßnen Wein auf der Tafel. Ich mußte mich mit hinsetzen, und mein Maler plauderte mit mir über meine Herkunft, meine Reise und meinen Lebensplan. Herr Eckbrecht aber hatte das junge hübsche Mädchen aus dem Wirtshause, nachdem sie uns Flaschen auf den Tisch gestellt, vor sich auf den Schoß genommen, legte ihr die Gitarre in den Arm und lehrte sie ein Liedchen darauf klimpern. Sie fand sich auch bald mit den kleinen Händchen zurecht, und sie sangen dann zusammen ein italienisches Lied, einmal er, dann wieder das Mädchen eine Strophe, was sich in dem schönen stillen Abend prächtig ausnahm. Als das Mädchen dann weggerufen wurde, lehnte sich Herr Eckbrecht mit der Gitarre auf der Bank zurück, legte seine Füße auf einen Stuhl, der vor ihm stand, und sang nun für sich allein viele herrliche deutsche und italienische Lieder, ohne sich weiter um uns zu bekümmern. Dabei schienen die Sterne prächtig am klaren Firmament, die ganze Gegend war wie versilbert vom Mondschein, ich dachte an die schöne Frau, an die ferne Heimat und vergaß darüber ganz meinen Maler neben mir. Zuweilen mußte Herr Eckbrecht stimmen, darüber wurde er immer ganz zornig. Er drehte und riß zuletzt an dem Instrument, daß plötzlich eine Saite sprang. Da warf er die Gitarre hin und sprang auf. Nun wurde er erst gewahr, daß mein Maler sich unterdes über seinen Arm auf den Tisch gelegt hatte und fest eingeschlafen war. Er warf schnell einen weißen Mantel um, der auf einem Aste neben dem Tische hing, besann sich aber plötzlich, sah erst meinen Maler, dann mich ein paarmal scharf an, setzte sich darauf, ohne sich lange zu bedenken, gerade vor mich auf den Tisch hin, räusperte sich, rückte an seiner Halsbinde und fing dann auf einmal an, eine Rede an mich zu halten. »Geliebter Zuhörer und Landsmann!« sagte er. »Da die Flaschen beinahe leer sind und da die Moral unstreitig die erste Bürgerpflicht ist, wenn die Tugenden auf die Neige gehen, so fühle ich mich aus landsmännischer Sympathie getrieben, dir einige Moralität zu Gemüte zu führen. – Man könnte zwar meinen«, fuhr er fort, »du seist ein bloßer Jüngling, während doch dein Frack über seine besten Jahre hinaus ist; man könnte vielleicht annehmen, du habest vorhin wunderliche Sprünge gemacht, wie ein Satyr; ja, einige möchten wohl behaupten, du seiest wohl gar ein Landstreicher, weil du hier auf dem Lande bist und die Geige streichst; aber ich kehre mich an solche oberflächlichen Urteile nicht, ich halte mich an deine feingespitzte Nase, ich halte dich für ein vazierendes Genie.« Mich ärgerten die verfänglichen Redensarten, ich wollte ihm soeben recht antworten. Aber er ließ mich nicht zu Worte kommen. »Siehst du«, sagte er, »wie du dich schon aufbläst von dem bißchen Lobe. Gehe in dich und bedenke dies gefährliche Metier! Wir Genies – denn ich bin auch eins – machen uns aus der Welt ebenso wenig als sie sich aus uns, wir schreiten vielmehr ohne besondere Umstände in unsern Siebenmeilenstiefeln, die wir bald mit auf die Welt bringen, gerade auf die Ewigkeit los. O höchst klägliche, unbequeme, breitgespreizte Position, mit dem einen Beine in der Zukunft, wo nichts als Morgenrot und zukünftige Kindergesichter dazwischen, mit dem andern Beine noch mitten in Rom auf der Piazza del Pòpolo, wo das ganze Säkulum bei der guten Gelegenheit mit will und sich an den Stiefel hängt, daß sie einem das Bein ausreißen möchten! Und all das Zucken, Weintrinken und Hungerleiden lediglich für die unsterbliche Ewigkeit! Und siehe meinen Herrn Kollegen dort auf der Bank, der gleichfalls ein Genie ist; ihm wird die *Zeit* schon zu lang, was wird er erst in der Ewigkeit anfangen? Ja, hochgeschätzter Herr Kollege, du und ich und die Sonne, wir sind heute früh zusammen aufgegangen und haben den ganzen Tag gebrütet und gemalt, und es war alles schön – und nun fährt die schläfrige Nacht mit ihrem Pelzärmel über die Welt und hat alle Farben verwischt.« Er sprach noch immerfort und war dabei mit seinen verwirrten Haaren von dem Tanzen und Trinken im Mondschein ganz leichenblaß anzusehen.

Mir aber graute schon lange vor ihm und seinem wilden Gerede, und als er sich nun förmlich zu dem schlafenden Maler herumwandte, benutzte ich die Gelegenheit, schlich, ohne daß er es bemerkte, um den Tisch aus dem Garten heraus und stieg, allein und fröhlich im Herzen, an dem Rebengeländer in das weite, vom Mondschein beglänzte Tal hinunter.

Von der Stadt her schlugen die Uhren zehn. Hinter mir hörte ich durch die stille Nacht noch einzelne Gitarrenklänge und manchmal die Stimmen der beiden Maler, die nun auch nach Hause gingen, von fern herüberschallen. Ich lief daher so schnell, als ich nur konnte, damit sie mich nicht weiter ausfragen sollten.

Am Tore bog ich sogleich rechts in die Straße ein und ging mit klopfendem Herzen eilig zwischen den stillen Häusern und Gärten fort. Aber wie erstaunte ich, als ich da auf einmal auf dem Platze mit dem Springbrunnen herauskam, den ich heute am Tage gar nicht hatte finden können. Da stand das einsame Gartenhaus wieder, im prächtigsten Mondschein, und auch die schöne Frau sang im Garten wieder dasselbe italienische Lied wie gestern abend. Ich rannte voller Entzücken erst an die kleine Tür, dann an die Haustür und endlich mit aller Gewalt an das große Gartentor, aber es war alles verschlossen. Nun fiel mir erst ein, daß es noch nicht elf geschlagen hatte. Ich ärgerte mich über die langsame Zeit, aber über das Gartentor klettern, wie gestern, mochte ich wegen der guten Lebensart nicht. Ich ging daher ein Weilchen auf dem einsamen Platze auf und ab und setzte mich endlich wieder auf den steinernen Brunnen voller Gedanken und stiller Erwartung hin.

Die Sterne funkelten am Himmel, auf dem Platze war alles leer und still, ich hörte voll Vergnügen dem Gesange der schönen Frau zu, der zwischen dem Rauschen des Brunnens aus dem Garten herüberklang. Da erblickt' ich auf einmal eine weiße Gestalt, die von der andern Seite des Platzes herkam und gerade auf die kleine Gartentür zuging. Ich blickte durch den Mondflimmer recht scharf hin – es war der wilde Maler in seinem weißen Mantel. Er zog schnell einen Schlüssel hervor, schloß auf, und ehe ich mich's versah, war er im Garten drin.

Nun hatte ich gegen den Maler schon vom Anfang eine absonderliche Pike wegen seiner unvernünftigen Reden. Jetzt aber geriet ich ganz außer mir vor Zorn. »Das liederliche Genie ist gewiß wieder betrunken«, dachte ich, »den Schlüssel hat er von der Kammerjungfer und will nun die gnädige Frau beschleichen, verraten, überfallen.« Und so stürzte ich durch das kleine, offengebliebene Pförtchen in den Garten hinein.

Als ich eintrat, war es ganz still und einsam darin. Die Flügeltür vom Gartenhause stand offen, ein milchweißer Lichtschein drang daraus hervor und spielte auf dem Grase und den Blumen vor der Tür. Ich blickte von weitem herein. Da lag in einem prächtigen grünen Gemach, das von einer weißen Lampe nur wenig erhellt war, die schöne gnädige Frau, mit der Gitarre im Arm, auf einem seidenen Faulbettchen, ohne in ihrer Unschuld an die Gefahren draußen zu denken.

Ich hatte aber nicht lange Zeit, hinzusehen, denn ich bemerkte soeben, daß die weiße Gestalt von der andern Seite ganz behutsam hinter den Sträuchern nach dem Gartenhause zuschlich. Dabei sang die gnädige Frau so kläglich aus dem Hause, daß es mir recht durch Mark und Bein ging. Ich besann mich daher nicht lange, brach einen tüchtigen Ast ab, rannte damit gerade auf den Weißmantel los und schrie aus vollem Halse »Mordio!«, daß der ganze Garten erzitterte.

Der Maler, wie er mich so unverhofft daherkommen sah, nahm schnell Reißaus und schrie entsetzlich. Ich schrie noch besser, er lief nach dem Hause zu, ich ihm nach – und ich hatt' ihn beinah schon erwischt, da verwickelte ich mich mit den Füßen in den fatalen Blumenstücken und stürzte auf einmal der Länge nach vor der Haustür hin.

»Also du bist es, Narr!« hört' ich da über mir ausrufen. »Hast du mich doch fast zum Tode erschreckt.« Ich raffte mich geschwind wieder auf, und wie ich mir den Sand und die Erde aus den Augen wischte, steht die Kammerjungfer vor mir, die soeben bei dem letzten Sprunge den weißen Mantel von der Schulter verloren hatte. »Aber«, sagte ich ganz verblüfft, »war denn der Maler nicht hier?« – »Ja freilich«, entgegnete sie schnippisch, »sein Mantel wenigstens, den er mir, als ich ihm vorhin im Tore begegnete, umgehängt hat, weil mich fror.« Über dem Geplauder war nun auch die gnädige Frau von ihrem Sofa aufgesprungen und kam zu uns an die Tür. Mir klopfte das Herz zum Zerspringen. Aber wie erschrak ich, als ich recht hinsah und anstatt der schönen gnädigen Frau auf einmal eine ganz fremde Person erblickte!

Es war eine etwas große, korpulente, mächtige Dame mit einer stolzen Adlernase und hochgewölbten schwarzen Augenbrauen, so recht zum Erschrecken schön. Sie sah mich mit ihren großen funkelnden Augen so majestätisch an, daß ich mich vor Ehrfurcht gar nicht zu lassen wußte. Ich war ganz verwirrt, ich machte in einem fort Komplimente und wollte ihr zuletzt gar die Hand küssen. Aber sie riß ihre Hand schnell weg und sprach dann auf italienisch zu der Kammerjungfer, wovon ich nichts verstand.

Unterdes aber war von dem vorigen Geschrei die ganze Nachbarschaft lebendig geworden. Hunde bellten, Kinder schrien, zwischendurch hörte man einige Männerstimmen, die immer näher und näher auf den Garten zukamen. Da blickte mich die Dame noch einmal an, als wenn sie mich mit feurigen Kugeln durchbohren wollte, wandte sich dann rasch nach dem Zimmer zurück, während sie dabei stolz und gezwungen auflachte, und schmiß mir die Tür vor der Nase zu. Die Kammerjungfer aber erwischte mich ohne weiteres beim Flügel und zerrte mich nach der Gartenpforte.

»Da hast du wieder einmal recht dummes Zeug gemacht«, sagte sie unterwegs voller Bosheit zu mir. Ich wurde auch schon giftig. »Nun, zum Teufel!« sagte ich. »Habt ihr mich denn nicht selbst hierher bestellt?« – »Das ist's ja eben«, rief die Kammerjungfer, »meine Gräfin meinte es so gut mit dir, wirft dir erst Blumen aus dem Fenster zu, singt Arien – und *das* ist nun ihr Lohn! Aber mit dir ist nun einmal nichts anzufangen; du trittst dein Glück ordentlich mit Füßen.« – »Aber«, erwiderte ich, »ich meinte die Gräfin aus Deutschland, die schöne, gnädige Frau.« – »Ach«, unterbrach sie mich, »die ist ja schon lange wieder in Deutschland, mitsamt deiner tollen Amour. Und da lauf du nur auch wieder hin! Sie schmachtet ohnedies nach dir, da könnt ihr zusammen die Geige spielen und in den Mond gucken, aber daß du mir nicht wieder unter die Augen kommst!«

Nun aber entstand ein entsetzlicher Rumor und Spektakel hinter uns. Aus dem anderen Garten kletterten Leute mit Knüppeln hastig über den Zaun, andere fluchten und durchsuchten schon die Gänge, desperate Gesichter mit Schlafmützen guckten im Mondschein bald da, bald dort über die Hecken, es war, als wenn der Teufel auf einmal aus allen Hecken und Sträuchern Gesindel heckte. Die Kammerjungfer fackelte nicht lange. »Dort, dort läuft der Dieb!« schrie sie den Leuten zu, indem sie dabei auf die andere Seite des Gartens zeigte. Dann schob sie mich schnell aus dem Garten und klappte das Pförtchen hinter mir zu.

Da stand ich nun unter Gottes freiem Himmel wieder auf dem stillen Platze mutterseelenallein, wie ich gestern angekommen war. Die Wasserkunst, die mir vorhin im Mondschein so lustig flimmerte, als wenn Engelein darin auf und nieder stiegen, rauschte noch fort wie damals, mir aber war unterdes alle Lust und Freude in den Brunnen gefallen. Ich nahm mir nun fest vor, dem falschen Italien mit seinen verrückten Malern, Pomeranzen und Kammerjungfern auf ewig den Rücken zu kehren, und wanderte noch zur selbigen Stunde zum Tore hinaus.

Neuntes Kapitel

Die treuen Berg' stehn auf der Wacht:
Wer streicht bei stiller Morgenzeit
Da aus der Fremde durch die Heid'?
Ich aber mir die Berg' betracht'
Und lach' in mich vor großer Lust
Und rufe recht aus frischer Brust
Parol' und Feldgeschrei sogleich:
Vivat Österreich!

Da kennt mich erst die ganze Rund',
Nun grüßen Bach und Vöglein zart
Und Wälder rings nach Landesart,
Die Donau blitzt aus tiefem Grund,
Der Stephansturm auch ganz von fern
Guckt übern Berg und säh' mich gern,
Und ist er's nicht, so kommt er doch gleich:
Vivat Österreich!

Ich stand auf einem hohen Berge, wo man zum ersten Mal nach Österreich hineinsehen kann, und schwenkte voller Freude noch mit dem Hute und sang die letzte Strophe, da fiel auf einmal hinter mir im Walde eine prächtige Musik von Blasinstrumenten mit ein. Ich dreh' mich schnell um und erblicke drei junge Gesellen in langen blauen Mänteln, davon bläst der eine Oboe, der andere die Klarinette und der dritte, der einen alten Dreistutzer auf dem Kopfe hatte, das Waldhorn – die akkompagnierten mich plötzlich, daß der ganze Wald erschallte. Ich, nicht zu faul, ziehe meine Geige hervor und spiele und singe sogleich frisch mit. Da sah einer den andern bedenklich an, der Waldhornist ließ dann zuerst seine Bausbacken wieder einfallen und setzte sein Waldhorn ab, bis am Ende alle stille wurden und mich anschauten. Ich hielt verwundert ein und sah sie auch an. »Wir meinten«, sagte endlich der Waldhornist, »weil der Herr so einen langen Frack hat, der Herr wäre ein reisender Engländer, der hier zu Fuß die schöne Natur bewundert; da wollten wir uns ein Viatikum verdienen. Aber, mir scheint, der Herr ist selber ein Musikant.« – »Eigentlich ein Einnehmer«, versetzte ich, »und komme direkt von Rom her, da ich aber seit geraumer Zeit nichts mehr eingenommen, so habe ich mich unterwegs mit der Violine durchgeschlagen.« – »Bringt nicht viel heutzutage!« sagte der Waldhornist, der unterdes wieder an den Wald zurückgetreten war und mit seinem Dreistutzer ein kleines Feuer anfachte, das sie dort angezündet hatten. »Da gehn die blasenden Instrumente schon besser«, fuhr er fort; »wenn so eine Herrschaft ganz ruhig zu Mittag speist und wir treten unverhofft in das gewölbte Vorhaus und fangen alle drei aus Leibeskräften zu blasen an – gleich kommt ein Bedienter herausgesprungen mit Geld oder Essen, damit sie nur den Lärm wieder loswerden. Aber will der Herr nicht eine Kollation mit uns einnehmen?«

Das Feuer loderte nun recht lustig im Walde, der Morgen war frisch, wir setzten uns alle ringsumher auf den Rasen, und zwei von den Musikanten nahmen ein Töpfchen, worin Kaffee und auch schon Milch war, vom Feuer, holten Brot aus ihren Manteltaschen hervor und tunkten und tranken abwechselnd aus dem Topfe, und es schmeckte ihnen so gut, daß es ordentlich eine Lust war anzusehen. Der Waldhornist aber sagte: »Ich kann das schwarze Gesöff nicht vertragen« und reichte mir dabei die eine Hälfte von einer großen, übereinandergelegten Butterschnitte, dann brachte er eine Flasche Wein zum Vorschein. »Will der Herr nicht auch einen Schluck?« Ich tat einen tüchtigen Zug, mußte aber schnell wieder absetzen und das ganze Gesicht verziehn, denn es schmeckte wie Dreimännerwein. »Hiesiges Gewächs«, sagte der Waldhornist, »aber der Herr hat sich in Italien den deutschen Geschmack verdorben.«

Darauf kramte er eifrig in seinem Schubsack und zog endlich unter allerlei Plunder eine alte zerfetzte Landkarte hervor, worauf noch der Kaiser in vollem Ornate zu sehen war, den Zepter in der rechten, den Reichsapfel in der linken Hand. Er breitete sie auf dem Boden behutsam auseinander, die andern rückten näher heran, und sie beratschlagten nun zusammen, was sie für eine Marschroute nehmen sollten.

»Die Vakanz geht bald zu Ende«, sagte der eine, »wir müssen uns gleich von Linz links abwenden, so kommen wir noch bei guter Zeit nach Prag.« – »Nun wahrhaftig!« rief der Waldhornist. »Wem willst du da was vorpfeifen? Nichts als Wälder und Kohlenbauern, kein geläuterter Kunstgeschmack, keine vernünftige freie Station!« – »O Narrenspossen!« erwiderte der andere. »Die Bauern sind mir gerade die liebsten, die wissen am besten, wo einen der Schuh drückt, und nehmen's nicht so genau, wenn man manchmal eine falsche Note bläst.« – »Das macht, du hast kein Point d'honneur«, versetzte der Waldhornist, »›odi profanum vulgus et arceo‹, sagt der Lateiner.« – »Nun, Kirchen aber muß es auf der Tour doch geben«, meinte der dritte, »so kehren wir bei den Herren Pfarrern ein.« – »Gehorsamster Diener!« sagte der Waldhornist. »Die geben kleines Geld und große Sermone, daß wir nicht so unnütz in der Welt herumschweifen, sondern uns besser auf die Wissenschaften applizieren sollen, besonders wenn sie in mir den künftigen Herrn Konfrater wittern. Nein, nein, clerius clericum non decimat. Aber was gibt es denn da überhaupt für große Not? Die Herren Professoren sitzen auch noch im Karlsbade und halten selbst den Tag nicht so genau ein.« – »Ja, distinguendum est inter et inter«, erwiderte der andere, »quod licet Jovi, non licet bovi!«

Ich aber merkte nun, daß es Prager Studenten waren, und bekam einen ordentlichen Respekt vor ihnen, besonders da ihnen das Latein nur so wie Wasser von dem Munde floß. »Ist der Herr auch ein Studierter?« fragte mich darauf der Waldhornist. Ich erwiderte bescheiden, daß ich immer besondere Lust zum Studieren, aber kein Geld gehabt hätte. »Das tut gar nichts«, rief der Waldhornist, »wir haben auch weder Geld noch reiche Freundschaft. Aber ein gescheuter Kopf muß sich zu helfen wissen. Aurora musis amica, das heißt zu deutsch: Mit vielem Frühstücken sollst du dir nicht die Zeit verderben. Aber wenn dann die Mittagsglocken von Turm zu Turm und von Berg zu Berg über die Stadt gehen und nun die Schüler auf einmal mit großem Geschrei aus dem alten finstern Kollegium herausbrechen und im Sonnenscheine durch die Gassen schwärmen – da begeben wir uns bei den Kapuzinern zum Pater Küchenmeister und finden unsern gedeckten Tisch, und ist er auch nicht gedeckt, so steht doch für jeden ein voller Topf darauf, da fragen wir nicht viel danach und essen und perfektionieren uns dabei noch im Lateinischsprechen. Sieht der Herr, so studieren wir von einem Tage zum andern fort. Und wenn dann endlich die Vakanz kommt und die andern fahren und reiten zu ihren Eltern fort, da wandern wir mit unsern Instrumenten unterm Mantel durch die Gassen zum Tore hinaus, und die ganze Welt steht uns offen.«

Ich weiß nicht – wie er so erzählte, ging es mir recht durchs Herz, daß so gelehrte Leute so ganz verlassen sein sollten auf der Welt. Ich dachte dabei an mich, wie es mir eigentlich selber nicht anders ginge, und die Tränen traten mir in die Augen. Der Waldhornist sah mich groß an. »Das tut gar nichts«, fuhr er wieder weiter fort, »ich möchte gar nicht so reisen: Pferde und Kaffee und frisch überzogene Betten, und Nachtmützen und Stiefelknecht vorausbestellt. Das ist just das Schönste, wenn wir so frühmorgens heraustreten und die Zugvögel hoch über uns fortziehen, daß wir gar nicht wissen, welcher Schornstein heut für uns raucht, und gar nicht voraussehen, was uns bis zum Abend noch für ein besonderes Glück begegnen kann.« – »Ja«, sagte der andere, »und wo wir hinkommen und unsere Instrumente herausziehen, wird alles fröhlich, und wenn wir dann zur Mittagsstunde auf dem Lande in ein Herrschaftshaus treten und im Hausflur blasen, da tanzen die Mägde miteinander vor der Haustür, und die Herrschaft läßt die Saaltür etwas aufmachen, damit sie die Musik drin besser hören, und durch die Lücke kommt das Tellergeklapper und der Bratenduft in den freudenreichen Schall herausgezogen, und die Fräuleins an der Tafel verdrehen sich fast die Hälse, um die Musikanten draußen zu sehen.« – »Wahrhaftig«, rief der Waldhornist mit leuchtenden Augen aus, »laßt die andern nur ihre Kompendien repetieren, *wir* studieren unterdes in dem großen Bilderbuche, das der liebe Gott uns draußen aufgeschlagen hat! Ja, glaub' nur der Herr, aus uns werden gerade die rechten Kerls, die den Bauern dann was zu erzählen wissen und mit der Faust auf die Kanzel schlagen, daß den Knollfinken unten vor Erbauung und Zerknirschung das Herz im Leibe bersten möchte.« Wie sie so sprachen, wurde mir so lustig in meinem Sinn, daß ich gleich auch hätte mit studieren mögen. Ich konnte mich gar nicht satt hören, denn ich unterhalte mich gern mit studierten Leuten, wo man etwas profitieren kann. Aber es konnte gar nicht zu einem recht vernünftigen Diskurse kommen. Denn dem einen Studenten war vorhin angst geworden, weil die Vakanz so bald zu Ende gehen sollte. Er hatte daher hurtig seine Klarinette zusammengesetzt, ein Notenblatt vor sich auf das aufgestemmte Knie hingelegt und exerzierte sich eine schwierige Passage aus einer Messe ein, die er mitblasen sollte, wenn sie nach Prag zurückkamen. Da saß er nun und fingerte und pfiff dazwischen manchmal so falsch, daß es einem durch Mark und Bein ging und man oft sein eigenes Wort nicht verstehen konnte.

Auf einmal schrie der Waldhornist mit seiner Baßstimme: »Topp, da hab' ich es«, er schlug dabei fröhlich auf die Landkarte neben ihm. Der andere ließ auf einen Augenblick von seinem fleißigen

Blasen ab und sah ihn verwundert an. »Hört«, sagte der Waldhornist, »nicht weit von Wien ist ein Schloß, auf dem Schlosse ist ein Portier, und der Portier ist mein Vetter! Teuerste Kondiszipels, da müssen wir hin, machen dem Herrn Vetter unser Kompliment, und er wird dann schon dafür sorgen, wie er uns wieder weiter fortbringt!« Als ich das hörte, fuhr ich geschwind auf. »Bläst er nicht auf dem Fagott?« rief ich. »Und ist von langer, gerader Leibesbeschaffenheit und hat eine große, vornehme Nase?« Der Waldhornist nickte mit dem Kopfe. Ich aber embrassierte ihn vor Freuden, daß ihm der Dreistutzer vom Kopfe fiel, und wir beschlossen nun sogleich, alle miteinander im Postschiffe auf der Donau nach dem Schloß der schönen Gräfin hinunterzufahren.

Als wir an das Ufer kamen, war schon alles zur Abfahrt bereit. Der dicke Gastwirt, bei dem das Schiff über Nacht angelegt hatte, stand breit und behaglich in seiner Haustür, die er ganz ausfüllte, und ließ zum Abschied allerlei Witze und Redensarten erschallen, während in jedem Fenster ein Mädchenkopf herausfuhr und den Schiffern noch freundlich zunickte, die soeben die letzten Pakete nach dem Schiffe schafften. Ein ältlicher Herr mit einem grauen Überrock und schwarzem Halstuch, der auch mitfahren wollte, stand am Ufer und sprach sehr eifrig mit einem jungen, schlanken Bürschchen, das mit langen, ledernen Beinkleidern und knapper, scharlachroter Jacke vor ihm auf einem prächtigen Engländer saß. Es schien mir zu meiner großen Verwunderung, als wenn sie beide zuweilen nach mir hinblickten und von mir sprächen. – Zuletzt lachte der alte Herr, das schlanke Bürschchen schnalzte mit der Reitgerte und sprengte, mit den Lerchen über ihm um die Wette, durch die Morgenluft in die blitzende Landschaft hinein.

Unterdes hatten die Studenten und ich unsere Kasse zusammengeschossen. Der Schiffer lachte und schüttelte den Kopf, als ihm der Waldhornist damit unser Fährgeld in lauter Kupferstücken aufzählte, die wir mit großer Not aus allen unsern Taschen zusammengebracht hatten. Ich aber jauchzte laut auf, als ich auf einmal wieder die Donau so recht vor mir sah: Wir sprangen geschwind auf das Schiff hinauf, der Schiffer gab das Zeichen, und so flogen wir nun im schönsten Morgenglanze zwischen den Bergen und Wiesen hinunter.

Da schlugen die Vögel im Walde, und von beiden Seiten klangen die Morgenglocken von fern aus den Dörfern, hoch in der Luft hörte man manchmal die Lerchen dazwischen. Von dem Schiffe aber jubilierte und schmetterte ein Kanarienvogel mit darein, daß es eine rechte Lust war.

Der gehörte einem hübschen jungen Mädchen, das auch mit auf dem Schiffe war. Sie hatte den Käfig dicht neben sich stehen, von der andern Seite hielt sie ein feines Bündel Wäsche unterm Arm, so saß sie ganz still für sich und sah recht zufrieden bald auf ihre neuen Reiseschuhe, die unter dem Röckchen hervorkamen, bald wieder in das Wasser vor sich hinunter, und die Morgensonne glänzte ihr dabei auf der weißen Stirn, über der sie die Haare sehr sauber gescheitelt hatte. Ich merkte wohl, daß die Studenten gern einen höflichen Diskurs mit ihr angesponnen hätten, denn sie gingen immer an ihr vorüber, und der Waldhornist räusperte sich dabei und rückte bald an seiner Halsbinde, bald an dem Dreistutzer. Aber sie hatten keine rechte Courage, und das Mädchen schlug auch jedesmal die Augen nieder, sobald sie ihr näher kamen.

Besonders aber genierten sie sich vor dem ältlichen Herrn mit dem grauen Überrock, der nun auf der andern Seite des Schiffes saß und den sie gleich für einen Geistlichen hielten. Er hatte ein Brevier vor sich, in welchem er las, dazwischen aber oft in die schöne Gegend von dem Buche aufsah, dessen Goldschnitt und die vielen dareingelegten bunten Heiligenbilder prächtig im Morgenschein blitzten. Dabei bemerkte er auch sehr gut, was auf dem Schiffe vorging, und erkannte bald die Vögel an ihren Federn; denn es dauerte nicht lange, so redete er einen von den Studenten lateinisch an, worauf alle drei herantraten, die Hüte vor ihm abnahmen und ihm wieder lateinisch antworteten.

Ich aber hatte mich unterdes ganz vorn auf die Spitze des Schiffes gesetzt, ließ vergnügt meine Beine über dem Wasser herunterbaumeln und blickte, während das Schiff so fortflog und die Wellen unter mir rauschten und schäumten, immerfort in die blaue Ferne, wie da ein Turm und ein Schloß nach dem andern aus dem Ufergrün hervorkam, wuchs und wuchs und endlich hinter uns wieder verschwand. »Wenn ich nur *heute* Flügel hätte!« dachte ich und zog endlich vor Ungeduld meine liebe Violine hervor und spielte alle meine ältesten Stücke durch, die ich noch zu Hause und auf dem Schloß der schönen Frau gelernt hatte.

Auf einmal klopfte mir jemand von hinten auf die Achsel. Es war der geistliche Herr, der unterdes sein Buch weggelegt und mir schon ein Weilchen zugehört hatte. »Ei«, sagte er lachend zu mir, »ei, ei, Herr ludi magister, Essen und Trinken vergißt Er.« Er hieß mich darauf meine Geige einstecken, um einen Imbiß mit ihm einzunehmen, und führte mich zu einer kleinen lustigen Laube, die von den Schiffern aus jungen Birken und Tannenbäumchen in der Mitte des Schiffes aufgerichtet worden war. Dort hatte er einen Tisch hinstellen lassen, und ich, die Studenten und selbst das junge Mädchen, wir mußten uns auf die Fässer und Pakete ringsherum setzen.

Der geistliche Herr packte nun einen großen Braten und Butterschnitten aus, die sorgfältig in Papier gewickelt waren, zog auch aus einem Futteral mehrere Weinflaschen und einen silbernen, innerlich vergoldeten Becher hervor, schenkte ein, kostete erst, roch daran und prüfte wieder und reichte dann einem jeden von uns. Die Studenten saßen ganz kerzengerade auf ihren Fässern und aßen und tranken nur sehr wenig vor großer Devotion. Auch das Mädchen tauchte bloß das Schnäbelchen in den Becher und blickte dabei schüchtern bald auf mich, bald auf die Studenten, aber je öfter sie uns ansah, je dreister wurde sie nach und nach.

Sie erzählte endlich dem geistlichen Herrn, daß sie nun zum ersten Mal von Haus in Kondition komme und soeben auf das Schloß ihrer neuen Herrschaft reise. Ich wurde über und über rot, denn sie nannte dabei das Schloß der schönen gnädigen Frau. »Also das soll meine zukünftige Kammerjungfer sein!« dachte ich und sah sie groß an, und mir schwindelte fast dabei. »Auf dem Schlosse wird es bald eine große Hochzeit geben«, sagte darauf der geistliche Herr. »Ja«, erwiderte das Mädchen, die gern von der Geschichte mehr gewußt hätte; »man sagt, es wäre schon eine alte, heimliche Liebschaft gewesen, die Gräfin hätte es aber niemals zugeben wollen.« Der Geistliche antwortete nur mit »Hm, hm«, während er seinen Jagdbecher vollschenkte und mit bedenklichen Mienen daraus nippte. Ich aber hatte mich mit beiden Armen weit über den Tisch vorgelegt, um die Unterredung recht genau anzuhören. Der geistliche Herr bemerkte es. »Ich kann's Euch wohl sagen«, hub er wieder an, »die beiden Gräfinnen haben mich auf Kundschaft ausgeschickt, ob der Bräutigam schon vielleicht hier in der Gegend sei. Eine Dame aus Rom hat geschrieben, daß er schon lange von dort fort sei.« Wie er von der Dame aus Rom anfing, wurd' ich wieder rot. »Kennen denn Eure Hochwürden den Bräutigam?« fragte ich ganz verwirrt. »Nein«, erwiderte der alte Herr, »aber er soll ein lustiger Vogel sein.« — »O ja«, sagte ich hastig, »ein Vogel, der aus jedem Käfig ausreißt, sobald er nur kann, und lustig singt, wenn er wieder in der Freiheit ist.« — »Und sich in der Fremde herumtreibt«, fuhr der Herr gelassen fort, »in der Nacht gassatim geht und am Tage vor den Haustüren schläft.« Mich verdroß das sehr. »Ehrwürdiger

Herr«, rief ich ganz hitzig aus, »da hat man Euch falsch berichtet. Der Bräutigam ist ein moralischer, schlanker, hoffnungsvoller Jüngling, der in Italien in einem alten Schlosse auf großem Fuß gelebt hat, der mit lauter Gräfinnen, berühmten Malern und Kammerjungfern umgegangen ist, der sein Geld sehr wohl zu Rate zu halten weiß, wenn er nur welches hätte, der –« – »Nun, nun, ich wußte nicht, daß Ihr ihn so gut kennt«, unterbrach mich hier der Geistliche und lachte dabei so herzlich, daß er ganz blau im Gesichte wurde und ihm die Tränen aus den Augen rollten. »Ich hab' doch aber gehört«, ließ sich nun das Mädchen wieder vernehmen, »der Bräutigam wäre ein großer, überaus reicher Herr.« – »Ach Gott, ja doch, ja! Konfusion, nichts als Konfusion!« rief der Geistliche und konnte sich noch immer vor Lachen nicht zugute geben, bis er sich endlich ganz verhustete. Als er sich wieder ein wenig erholt hatte, hob er den Becher in die Höh' und rief: »Das Brautpaar soll leben!« Ich wußte gar nicht, was ich von dem Geistlichen und seinem Gerede denken sollte, ich schämte mich aber, wegen der römischen Geschichten, ihm hier vor allen Leuten zu sagen, daß ich selber der verlorene, glückselige Bräutigam sei.

Der Becher ging wieder fleißig in die Runde, der geistliche Herr sprach dabei freundlich mit allen, so daß ihm bald ein jeder gut wurde und am Ende alles fröhlich durcheinandersprach. Auch die Studenten wurden immer redseliger und erzählten von ihren Fahrten im Gebirge, bis sie endlich gar ihre Instrumente holten und lustig zu blasen anfingen. Die kühle Wasserluft strich dabei durch die Zweige der Laube, die Abendsonne vergoldete schon die Wälder und Täler, die schnell an uns vorüberflogen, während die Ufer von den Waldhornklängen widerhallten. Und als dann der Geistliche von der Musik immer vergnügter wurde und lustige Geschichten aus seiner Jugend erzählte, wie auch er zur Vakanz über Berge und Täler gezogen und oft hungrig und durstig, aber immer fröhlich gewesen und wie eigentlich das ganze Studentenleben eine große Vakanz sei zwischen der engen, düsteren Schule und der ernsten Amtsarbeit – da tranken die Studenten noch einmal herum und stimmten dann frisch ein Lied an, daß es weit in die Berge hineinschallte.

>>Nach Süden nun sich lenken
Die Vöglein allzumal,
Viel Wandrer lustig schwenken
Die Hüt' im Morgenstrahl.
Das sind die Herrn Studenten,

Zum Tor hinaus es geht,
Auf ihren Instrumenten
Sie blasen zum Valet:
Ade in die Läng' und Breite,
O Prag, wir ziehn in die Weite:
Et habeat bonam pacem,
Qui sedet post fornacem!

Nachts wir durchs Städtlein schweifen,
Die Fenster schimmern weit,
Am Fenster drehn und schleifen
Viel schön geputzte Leut'.
Wir blasen vor den Türen
Und haben Durst genug,
Das kommt vom Musizieren,
Herr Wirt, ein'n frischen Trunk!
Und siehe, über ein kleines
Mit einer Kanne Weines
Venit ex sua domo –
Beatus ille homo!

Nun weht schon durch die Wälder
Der kalte Boreas,
Wir streichen durch die Felder,
Von Schnee und Regen naß,
Der Mantel fliegt im Winde,
Zerrissen sind die Schuh',
Da blasen wir geschwinde
Und singen noch dazu:
Beatus ille homo,
Qui sedet in sua domo
Et sedet post fornacem
Et habet bonam pacem!«

Ich, die Schiffer und das Mädchen, obgleich wir alle kein Latein
verstanden, stimmten jedesmal jauchzend in den letzten Vers mit
ein, ich aber jauchzte am allervergnügtesten, denn ich sah soeben
von fern mein Zollhäuschen und bald darauf auch das Schloß in
der Abendsonne über die Bäume hervorkommen.

Zehntes Kapitel

Das Schiff stieß an das Ufer, wir sprangen schnell ans Land und verteilten uns nun nach allen Seiten im Grünen, wie Vögel, wenn das Gebauer plötzlich aufgemacht wird. Der geistliche Herr nahm eiligen Abschied und ging mit großen Schritten nach dem Schlosse zu. Die Studenten dagegen wanderten eifrig nach einem abgelegenen Gebüsch, wo sie noch geschwind ihre Mäntel ausklopfen, sich in dem vorüberfließenden Bache waschen und einer den andern rasieren wollten. Die neue Kammerjungfer endlich ging mit ihrem Kanarienvogel und ihrem Bündel unterm Arm nach dem Wirtshause unter dem Schloßberge, um bei der Frau Wirtin, die ich ihr als eine gute Person rekommandiert hatte, ein besseres Kleid anzulegen, ehe sie sich oben im Schlosse vorstellte. Mir aber leuchtete der schöne Abend recht durchs Herz, und als sie sich nun alle verlaufen hatten, bedachte ich mich nicht lange und rannte sogleich nach dem herrschaftlichen Garten hin.

Mein Zollhaus, an dem ich vorbei mußte, stand noch auf der alten Stelle, die hohen Bäume aus dem herrschaftlichen Garten rauschten noch immer darüber hin, eine Goldammer, die damals auf dem Kastanienbaume vor dem Fenster jedesmal bei Sonnenuntergang ihr Abendlied gesungen hatte, sang auch wieder, als wäre seitdem gar nichts in der Welt vorgegangen. Das Fenster im Zollhause stand offen, ich lief voller Freuden hin und steckte den Kopf in die Stube hinein. Es war niemand darin, aber die Wanduhr tickte noch immer ruhig fort, der Schreibtisch stand am Fenster und die lange Pfeife in einem Winkel wie damals. Ich konnte nicht widerstehen, ich sprang durch das Fenster hinein und setzte mich an den Schreibtisch vor das große Rechenbuch hin. Da fiel der Sonnenschein durch den Kastanienbaum vor dem Fenster wieder grüngolden auf die Ziffern in dem aufgeschlagenen Buche, die Bienen summten wieder an dem offenen Fenster hin und her, die Goldammer draußen auf dem Baume sang fröhlich immerzu. Auf einmal aber ging die Tür aus der Stube auf, und ein alter, langer Einnehmer in meinem punktierten Schlafrock trat herein! Er blieb in der Tür stehen, wie er mich so unversehens erblickte, nahm schnell die Brille von der Nase und sah mich grimmig an. Ich aber erschrak nicht wenig darüber, sprang, ohne ein Wort zu sagen, auf und lief aus der Haustür durch den kleinen Garten fort, wo ich mich noch bald mit den Füßen in dem fatalen Kartoffelkraut verwickelt hätte, das der alte Einnehmer nunmehr, wie ich sah, nach des Portiers Rat statt meiner Blumen angepflanzt hatte. Ich hörte noch, wie er vor die Tür herausfuhr und hinter mir dreinschimpfte, aber ich saß schon oben auf der hohen Gartenmauer und schaute mit klopfendem Herzen in den Schloßgarten hinein.

Da war ein Duften und Schimmern und Jubilieren von allen Vöglein; die Plätze und Gänge waren leer, aber die vergoldeten Wipfel neigten sich im Abendwinde vor mir, als wollten sie mich bewillkommnen, und seitwärts aus dem tiefen Grunde blitzte zuweilen die Donau zwischen den Bäumen nach mir herauf.

Auf einmal hörte ich in einiger Entfernung im Garten singen:

> »Schweigt der Menschen laute Lust:
> Rauscht die Erde wie in Träumen
> Wunderbar mit allen Bäumen,
> Was dem Herzen kaum bewußt,
> Alte Zeiten, linde Trauer,
> Und es schweifen leise Schauer
> Wetterleuchtend durch die Brust.«

Die Stimme und das Lied klang mir so wunderlich und doch wieder so altbekannt, als hätte ich's irgend einmal im Traume gehört. Ich dachte lange, lange nach. »Das ist der Herr Guido!« rief ich endlich voller Freude und schwang mich schnell in den Garten hinunter – es war dasselbe Lied, das er an jenem Sommerabend auf dem Balkon des italienischen Wirtshauses sang, wo ich ihn zum letzten Mal gesehen hatte.

Er sang noch immer fort, ich aber sprang über Beete und Hecken dem Liede nach. Als ich nun zwischen den letzten Rosensträuchern hervortrat, blieb ich plötzlich wie verzaubert stehen. Denn auf dem grünen Platze am Schwanenteich, recht vom Abendrote beschienen, saß die schöne gnädige Frau, in einem prächtigen Kleide und einem Kranz von weißen und roten Rosen in dem schwarzen Haar, mit niedergeschlagenen Augen auf einer Steinbank und spielte während des Liedes mit ihrer Reitgerte vor sich auf dem Rasen, geradeso wie damals auf dem Kahne, da ich ihr das Lied von der schönen Frau vorsingen mußte. Ihr gegenüber saß eine andre junge Dame, die hatte den weißen runden Nacken voll brauner Locken gegen mich gewendet und sang zur Gitarre, während die Schwäne auf dem stillen Weiher langsam im Kreise herumschwammen. Da hob die schöne Frau auf einmal die Augen und schrie laut auf, da sie mich erblickte. Die andere Dame wandte sich rasch nach mir herum, daß ihr die Locken ins Gesicht flogen, und da sie mich recht ansah, brach sie in ein unmäßiges Lachen aus, sprang dann von der Bank und klatschte dreimal mit den Händchen. In demselben Augenblicke kam eine große Menge kleiner Mädchen in blütenweißen kurzen Kleidchen mit grünen und roten Schleifen zwischen den Rosensträuchern hervorgeschlüpft, so daß ich gar nicht begreifen konnte, wo sie alle gesteckt hatten. Sie hielten eine lange Blumengirlande in den Händen, schlossen schnell einen Kreis um mich, tanzten um mich herum und sangen dabei:

> »Wir bringen dir den Jungfernkranz
> Mit veilchenblauer Seide,
> Wir führen dich zu Lust und Tanz,
> Zu neuer Hochzeitsfreude.
> Schöner, grüner Jungfernkranz,
> Veilchenblaue Seide.«

Das war aus dem »Freischützen«. Von den kleinen Sängerinnen erkannte ich nun auch einige wieder, es waren Mädchen aus dem Dorfe. Ich kneipte sie in die Wangen und wäre gern aus dem Kreise entwischt, aber die kleinen schnippischen Dinger ließen mich nicht heraus. Ich wußte gar nicht, was die Geschichte eigentlich bedeuten sollte, und stand ganz verblüfft da.

Da trat plötzlich ein junger Mann in seiner Jägerkleidung aus dem Gebüsch hervor. Ich traute meinen Augen kaum – es war der fröhliche Herr Leonhard! Die kleinen Mädchen öffneten nun den Kreis und standen auf einmal wie verzaubert, alle unbeweglich auf einem Beinchen, während sie das andere in die Luft streckten und dabei die Blumengirlanden mit beiden Armen hoch über den Köpfen in die Höh' hielten. Der Herr Leonhard aber faßte die schöne gnädige Frau, die noch immer ganz stillstand und nur manchmal auf mich herüberblickte, bei der Hand, führte sie bis zu mir und sagte:

»Die Liebe – darüber sind nun alle Gelehrten einig – ist eine der couragiösesten Eigenschaften des menschlichen Herzens, die Bastionen von Rang und Stand schmettert sie mit einem Feuerblicke danieder, die Welt ist ihr zu eng und die Ewigkeit zu kurz. Ja, sie ist eigentlich ein Poetenmantel, den jeder Phantast einmal in der kalten Welt umnimmt, um nach Arkadien auszuwandern. Und je entfernter zwei getrennte Verliebte voneinander wandern, in desto anständigern Bogen bläst der Reisewind den schillernden Mantel hinter ihnen auf, desto kühner und überraschender entwickelt sich der Faltenwurf, desto länger und länger wächst der Talar den Liebenden hinten nach, so daß ein Neutraler nicht über Land gehen kann, ohne unversehens auf ein paar solche Schleppen zu treten. O teuerster Herr Einnehmer und Bräutigam! Obgleich Ihr in diesem Mantel bis an die Gestade der Tiber dahinrauschtet, das kleine Händchen Eurer gegenwärtigen Braut hielt Euch dennoch am äußersten Ende der Schleppe fest, und wie Ihr zucktet und geigtet und rumortet, Ihr mußtet zurück in den stillen Bann ihrer schönen Augen. Und nun dann, da es so gekommen ist, ihr zwei lieben, lieben närrischen Leute, schlagt den seligen Mantel um euch, daß die ganze andere Welt rings um euch untergeht – liebt euch wie die Kaninchen und seid glücklich!«

Der Herr Leonhard war mit seinem Sermon kaum erst fertig, so kam auch die andere junge Dame, die vorhin das Liedchen gesungen hatte, auf mich los, setzte mir schnell einen frischen Myrtenkranz auf den Kopf und sang dazu sehr neckisch, während sie mir den Kranz in den Haaren festrückte und ihr Gesichtchen dabei dicht vor mir war:

> »Darum bin ich dir gewogen,
> Darum wird dein Haupt geschmückt,
> Weil der Strich von deinem Bogen
> Öfter hat mein Herz entzückt.«

Da trat sie wieder ein paar Schritte zurück. »Kennst du die Räuber noch, die dich damals in der Nacht vom Baume schüttelten?« sagte sie, indem sie einen Knicks mir machte und mich so anmutig und fröhlich ansah, daß mir ordentlich das Herz im Leibe lachte. Darauf ging sie, ohne meine Antwort abzuwarten, rings um mich herum. »Wahrhaftig, noch ganz der alte, ohne allen welschen Beischmack! Aber nein, sieh doch nur einmal die dicken Taschen an!« rief sie plötzlich zu der schönen gnädigen Frau. »Violine, Wäsche, Barbiermesser, Reisekoffer, alles durcheinander!« Sie drehte mich nach allen Seiten und konnte sich vor Lachen gar nicht zugute geben. Die schöne gnädige Frau war unterdes noch immer still und mochte gar nicht die Augen aufschlagen vor Scham und Verwirrung. Oft kam es mir vor, als zürnte sie heimlich über das viele Gerede und Spaßen. Endlich stürzten ihr plötzlich Tränen aus den Augen, und sie verbarg ihr Gesicht an der Brust der andern Dame. Diese sah sie erstaunt an und drückte sie dann herzlich an sich.

Ich aber stand ganz verdutzt da. Denn je genauer ich die fremde

Dame betrachtete, desto deutlicher erkannte ich sie, es war wahrhaftig niemand anders als – der junge Maler Guido!

Ich wußte gar nicht, was ich sagen sollte, und wollte soeben näher nachfragen, als Herr Leonhard zu ihr trat und heimlich mit ihr sprach. »Weiß er denn noch nicht?« hörte ich ihn fragen. Sie schüttelte mit dem Kopfe. Er besann sich darauf einen Augenblick. »Nein, nein«, sagte er endlich, »er muß alles erfahren, sonst entsteht nur neues Geplauder und Gewirre.«

»Herr Einnehmer«, wandte er sich nun zu mir, »wir haben jetzt nicht viel Zeit, aber tue mir den Gefallen und wundere dich hier in aller Geschwindigkeit aus, damit du nicht hinterher durch Fragen, Erstaunen und Kopfschütteln unter den Leuten alte Geschichten aufrührst und neue Erdichtungen und Vermutungen ausschüttelst.« Er zog mich bei diesen Worten tiefer in das Gebüsch hinein, während das Fräulein mit der von der schönen gnädigen Frau weggelegten Reitgerte in der Luft focht und alle ihre Locken tief in das Gesichtchen schüttelte, durch die ich aber doch sehen konnte, daß sie bis an die Stirn rot wurde. »Nun denn«, sagte Herr Leonhard, »Fräulein Flora, die hier soeben tun will, als hörte und wüßte sie von der ganzen Geschichte nichts, hatte in aller Geschwindigkeit ihr Herzchen mit jemand vertauscht. Darüber kommt ein andrer und bringt ihr mit Prologen, Trompeten und Pauken wiederum *sein* Herz dar und will ihr Herz dagegen. Ihr Herz ist aber schon bei jemand und jemands Herz bei ihr, und der Jemand will sein Herz nicht wiederhaben und ihr Herz nicht wieder zurückgeben. Alle Welt schreit – aber du hast wohl noch keinen Roman gelesen?« Ich verneinte es. »Nun, so hast du doch einen mitgespielt. Kurz, das war eine solche Konfusion mit den Herzen, daß der Jemand – das heißt ich – mich zuletzt selbst ins Mittel legen mußte. Ich schwang mich bei lauer Sommernacht auf mein Roß, hob das Fräulein als Maler Guido auf das andere, und so ging es fort nach Süden, um sie in einem meiner einsamen Schlösser in Italien zu verbergen, bis das Geschrei wegen der Herzen vorüber wäre. Unterwegs aber kam man uns auf die Spur, und von dem Balkon des welschen Wirtshauses, vor dem du so vortrefflich Wache schliefst, erblickte Flora plötzlich unsere Verfolger.« – »Also der bucklige Signor?« – »War ein Spion. Wir zogen uns daher heimlich in die Wälder und ließen dich auf dem vorbestellten Postkurse allein fortfahren. Das täuschte unsere Verfolger und zum Überfluß auch noch meine Leute auf dem Bergschlosse, welche die verkleidete Flora stündlich erwarteten und mit mehr Diensteifer als Scharfsinn dich für das Fräulein hielten. Selbst hier auf dem Schlosse glaubte man, daß Flora auf dem Felsen wohne, man erkundigte sich, man schrieb an sie – hast du nicht ein Briefchen erhalten?« Bei diesen Worten fuhr ich blitzschnell mit dem Zettel aus der Tasche. »Also dieser Brief?« – »Ist an mich«, sagte Fräulein Flora, die bisher auf unsere Rede gar nicht achtzugeben schien, riß mir den Zettel rasch aus der Hand, überlas ihn und steckte ihn dann in den Busen. »Und nun«, sagte Herr Leonhard, »müssen wir schnell in das Schloß, da wartet schon alles auf uns. Also zum Schluß, wie sich's von selbst versteht und einem wohlerzogenen Romane gebührt: Entdeckung, Reue, Versöhnung, wir sind alle wieder lustig beisammen, und übermorgen ist Hochzeit!«

Da er noch so sprach, erhob sich plötzlich in dem Gebüsch ein rasender Spektakel von Pauken und Trompeten, Hörnern und Posaunen; Böller wurden dazwischen gelöst und Vivat gerufen, die kleinen Mädchen tanzten von neuem, und aus allen Sträuchern kam ein Kopf über dem andern hervor, als wenn sie aus der Erde wüchsen. Ich sprang in dem Geschwirre und Geschleife ellenhoch von einer Seite zur andern; da es aber schon dunkel wurde, erkannte ich erst nach und nach all die alten Gesichter wieder. Der alte Gärtner schlug die Pauken, die Prager Studenten in ihren Mänteln musizierten mitten darunter, neben ihnen fingerte der Portier wie toll auf seinem Fagott. Wie ich den so unverhofft erblickte, lief ich sogleich auf ihn zu und embrassierte ihn heftig. Darüber kam er ganz aus dem Konzept. »Nun wahrhaftig, und wenn der bis ans Ende der Welt reist, er ist und bleibt ein Narr!« rief er den Studenten zu und blies ganz wütend weiter.

Unterdes war die schöne gnädige Frau vor dem Rumor heimlich entsprungen und flog wie ein aufgescheuchtes Reh über den Rasen tiefer in den Garten hinein. Ich sah es noch zur rechten Zeit und lief ihr eiligst nach. Die Musikanten merkten in ihrem Eifer nichts davon, sie meinten nachher, wir wären schon nach dem Schlosse aufgebrochen, und die ganze Bande setzte sich nun mit Musik und großem Getümmel gleichfalls dorthin auf den Marsch.

Wir aber waren fast zu gleicher Zeit in einem Sommerhause angekommen, das am Abhange des Gartens stand, mit dem offenen Fenster nach dem weiten, tiefen Tale zu. Die Sonne war schon lange untergegangen hinter den Bergen, es schimmerte nur noch wie ein rötlicher Duft über dem warmen, verschallenden Abend, aus dem die Donau immer vernehmlicher heraufrauschte, je stiller es ringsum wurde. Ich sah unverwandt die schöne Gräfin an, die ganz erhitzt vom Laufen dicht vor mir stand, so daß ich ordentlich hören konnte, wie ihr das Herz schlug. Ich wußte nun aber gar nicht, was ich sprechen sollte vor Respekt, da ich auf einmal so allein mit ihr war. Endlich faßte ich ein Herz, nahm ihr kleines, weißes Händchen – da zog sie mich schnell an sich und fiel mir um den Hals, und ich umschlang sie fest mit beiden Armen.

Sie machte sich aber geschwind wieder los und legte sich ganz verwirrt in das Fenster, um ihre glühenden Wangen in der Abendluft abzukühlen. »Ach«, rief ich, »mir ist mein Herz recht zum Zerspringen, aber ich kann mir noch alles nicht recht denken, es ist mir alles noch wie ein Traum!« – »Mir auch«, sagte die schöne gnädige Frau. »Als ich vergangenen Sommer«, setzte sie nach einer Weile hinzu, »mit der Gräfin aus Rom kam und wir das Fräulein Flora gefunden hatten und mit zurückbrachten, von dir aber dort und hier nichts hörten – da dacht’ ich nicht, daß alles noch so kommen würde! Erst heut zu Mittag sprengte der Jockei, der gute, flinke Bursch, atemlos auf den Hof und brachte die Nachricht, daß du mit dem Postschiffe kämst.« Dann lachte sie still in sich hinein. »Weißt du noch«, sagte sie, »wie du mich damals auf dem Balkon zum letzten Mal sahst? Das war gerade wie heute, auch so ein stiller Abend, und Musik im Garten.« – »Wer ist denn eigentlich gestorben?« fragte ich hastig. »Wer denn?« sagte die schöne Frau und sah mich erstaunt an. »Der Herr Gemahl von Euer Gnaden«, erwiderte ich, »der damals mit auf dem Balkon stand.« Sie wurde ganz rot. »Was hast du auch für Seltsamkeiten im Kopfe!« rief sie aus. »Das war ja der Sohn von der Gräfin, der eben von Reisen zurückkam, und es traf gerade auch mein Geburtstag, da führte er mich mit auf den Balkon hinaus, damit ich auch ein Vivat bekäme. – Aber deshalb bist du wohl damals von hier fortgelaufen?« – »Ach Gott, freilich!« rief ich aus und schlug mich mit der Hand vor die Stirn. Sie aber schüttelte mit dem Köpfchen und lachte recht herzlich.

Mir war so wohl, wie sie fröhlich und vertraulich neben mir plauderte, ich hätte bis zum Morgen zuhören mögen. Ich war so recht seelenvergnügt und langte eine Hand voll Knackmandeln aus der Tasche, die ich noch aus Italien mitgebracht hatte. Sie nahm auch davon, und wir knackten nun und sahen zufrieden in die stille Gegend hinaus. »Siehst du«, sagte sie nach einem Weilchen wieder, »das weiße Schlößchen, das da drüben im Mondschein glänzt, das hat uns der Graf geschenkt samt dem Garten und den Weinbergen, da werden wir wohnen. Er wußt’ es schon lange, daß wir einander gut sind, und ist dir sehr gewogen, denn hätt' er dich nicht mitgehabt, als er das Fräulein aus der Pensionsanstalt entführte, so wären sie beide erwischt worden, ehe sie sich vorher noch mit der Gräfin versöhnten, und alles wäre anders gekommen.« – »Mein Gott, schönste, gnädigste Gräfin«, rief ich aus, »ich weiß gar nicht mehr, wo mir der Kopf steht vor lauter unverhofften Neuigkeiten; also der Herr Leonhard?« – »Ja, ja«, fiel sie mir in die Rede, »so nannte er sich in Italien; dem gehören die Herrschaften da drüben, und er heiratet nun unserer Gräfin Tochter, die schöne Flora. – Aber was nennst du mich denn Gräfin?« Ich sah sie groß an. »Ich bin ja gar keine Gräfin«, fuhr sie fort, »unsere gnädige Gräfin hat mich nur zu sich aufs Schloß genommen, da mich mein Onkel, der Portier, als kleines Kind und arme Waise mit hierher brachte.«

Nun war's mir doch nicht anders, als wenn mir ein Stein vom Herzen fiele! »Gott segne den Portier«, versetzte ich ganz entzückt, »daß er unser Onkel ist! Ich habe immer große Stücke auf ihn gehalten.« – »Er meint es auch gut mit dir«, erwiderte sie, »wenn du dich nur etwas vornehmer hieltest, sagt er immer. Du mußt dich jetzt auch eleganter kleiden.« – »Oh«, rief ich voller Freuden, »englischen Frack, Strohhut und Pumphosen und Sporen! Und gleich nach der Trauung reisen wir fort nach Italien, nach Rom, da gehn die schönen Wasserkünste, und nehmen die Prager Studenten mit und den Portier!« Sie lächelte still und sah mich recht vergnügt und freundlich an, und von fern schallte immerfort die Musik herüber, und Leuchtkugeln flogen vom Schloß durch die stille Nacht über die Gärten, und die Donau rauschte dazwischen herauf – und es war alles, alles gut!

Gedichte

Frische Fahrt

Laue Luft kommt blau geflossen,
Frühling, Frühling soll es sein!
Waldwärts Hörnerklang geschossen
Mut'ger Augen lichter Schein;
Und das Wirren bunt und bunter
Wird ein magisch wilder Fluß,
In die schöne Welt hinunter
Lockt dich dieses Stromes Gruß.

Und ich mag mich nicht bewahren!
Weit von euch treibt mich der Wind,
Auf dem Strome will ich fahren,
Von dem Glanze selig blind!
Tausend Stimmen lockend schlagen,
Hoch Aurora flammend weht,
Fahre zu! Ich mag nicht fragen,
Wo die Fahrt zu Ende geht!

Allgemeines Wandern

Vom Grund bis zu den Gipfeln,
So weit man sehen kann,
Jetzt blüht's in allen Wipfeln,
Nun geht das Wandern an:

Die Quellen von den Klüften,
Die Ström auf grünem Plan,
Die Lerchen hoch in Lüften,
Der Dichter frisch voran.

Und die im Tal verderben
In trüber Sorgen Haft,
Er möcht' sie alle werben
Zu dieser Wanderschaft.

Und von den Bergen nieder
Erschallt sein Lied ins Tal,
Und die zerstreuten Brüder
Faßt Heimweh allzumal.

Da wird die Welt so munter
Und nimmt die Reiseschuh,
Sein Liebchen mitten drunter
Die nickt ihm heimlich zu.

Und über Felsenwände
Und auf dem grünen Plan
Das wirrt und jauchzt ohn Ende –
Nun geht das Wandern an!

Zwielicht

Dämmrung will die Flügel spreiten,
Schaurig rühren sich die Bäume,
Wolken ziehn wie schwere Träume –
Was will dieses Graun bedeuten?

Hast ein Reh du lieb vor andern,
Laß es nicht alleine grasen,
Jäger ziehn im Wald und blasen,
Stimmen hin und wieder wandern.

Hast du einen Freund hienieden,
Trau ihm nicht zu dieser Stunde,
Freundlich wohl mit Aug und Munde,
Sinnt er Krieg im tück'schen Frieden.

Was heut müde gehet unter,
Hebt sich morgen neugeboren.
Manches bleibt in Nacht verloren –
Hüte dich, bleib wach und munter!

Nachts

Ich wandre durch die stille Nacht,
Da schleicht der Mond so heimlich sacht
Oft aus der dunklen Wolkenhülle,
Und hin und her im Tal
Erwacht die Nachtigall,
Dann wieder alles grau und stille.

O wunderbarer Nachtgesang:
Von fern im Land der Ströme Gang,
Leis Schauern in den dunklen Bäumen –
Wirrst die Gedanken mir,
Mein irres Singen hier
Ist wie ein Rufen nur aus Träumen.

Der wandernde Musikant

Wandern lieb' ich für mein Leben,
Lebe eben, wie ich kann,
Wollt' ich mir auch Mühe geben,
Paßt es mir doch gar nicht an.

Schöne alte Lieder weiß ich,
In der Kälte, ohne Schuh
Draußen in die Saiten reiß' ich,
Weiß nicht, wo ich abends ruh'.

Manche Schöne macht wohl Augen,
Meinet, ich gefiel' ihr sehr,
Wenn ich nur was wollte taugen,
So ein armer Lump nicht wär'.

Mag dir Gott ein'n Mann bescheren,
Wohl mit Haus und Hof versehn!
Wenn wir zwei zusammen wären,
Möcht' mein Singen mir vergehn.

*

Wenn die Sonne lieblich schiene
Wie in Welschland lau und blau,
Ging' ich mit der Mandoline
Durch die überglänzte Au.

In der Nacht dann Liebchen lauschte
An dem Fenster süß verwacht,
Wünschte mir und ihr, uns beiden,
Heimlich eine schöne Nacht.

Wenn die Sonne lieblich schiene
Wie in Welschland lau und blau,
Ging' ich mit der Mandoline
Durch die überglänzte Au.

*

Bist du manchmal auch verstimmt,
Drück' dich zärtlich an mein Herze,
Daß mir's fast den Atem nimmt,
Streich' und kneif' in süßem Scherze,
Wie ein rechter Liebestor
Lehn' ich sanft an dich die Wange,
Und du singst mir fein ins Ohr.
Wohl im Hofe bei dem Klange
Katze miaut, Hund heult und bellt,
Nachbar schimpft mit wilder Miene –
Doch was kümmert uns die Welt,
Süße, traute Violine!

*

Mürrisch sitzen sie und maulen
Auf den Bänken stumm und breit,
Gähnend strecken sich die Faulen,
Und die Kecken suchen Streit.

Da komm' ich durchs Dorf geschritten,
Fernher durch den Abend kühl,
Stell' mich in des Kreises Mitten,
Grüß' und zieh' mein Geigenspiel.

Und wie ich den Bogen schwenke,
Ziehn die Klänge in der Rund
Allen recht durch die Gelenke
Bis zum tiefsten Herzensgrund.

Und nun geht's ans Gläserklingen,
An ein Walzen um und um,
Je mehr ich streich', je mehr sie springen,
Keiner fragt erst lang: »Warum?«

Jeder will dem Geiger reichen
Nun sein Scherflein auf die Hand –
Da vergeht ihm gleich sein Streichen,
Und fort ist der Musikant.

Und sie sehn ihn fröhlich steigen
Nach den Waldeshöhn hinaus,
Hören ihn von fern noch geigen,
Und gehn all vergnügt nach Haus.

Doch in Waldes grünen Hallen,
Rast' ich dann noch manche Stund,
Nur die fernen Nachtigallen
Schlagen tief aus nächtgem Grund.

Und es rauscht die Nacht so leise
Durch die Waldeseinsamkeit,
Und ich sinn' auf neue Weise,
Die der Menschen Herz erfreut.

*

Durch Feld und Buchenhallen
Bald singend, bald fröhlich still,
Recht lustig sei vor allen,
Wer's Reisen wählen will!

Wenn's kaum im Osten glühte,
Die Welt noch still und weit:
Da weht recht durchs Gemüte
Die schöne Blütenzeit!

Die Lerch als Morgenbote
Sich in die Lüfte schwingt,
Eine frische Reisenote
Durch Wald und Herz erklingt.

O Lust, vom Berg zu schauen
Weit über Wald und Strom,
Hoch über sich den blauen
Tiefklaren Himmelsdom!

Vom Berge Vöglein fliegen
Und Wolken so geschwind,
Gedanken überfliegen
Die Vögel und den Wind.

Die Wolken ziehn hernieder,
Das Vöglein senkt sich gleich,
Gedanken gehn und Lieder
Fort bis ins Himmelreich.

Die Zigeunerin

Am Kreuzweg, da lausche ich, wenn die Stern'
Und die Feuer im Walde verglommen,
Und wo der erste Hund bellt von fern,
Da wird mein Bräut'gam herkommen.

»Und als der Tag graut', durch das Gehölz
Sah ich eine Katze sich schlingen,
Ich schoß ihr auf den nußbraunen Pelz,
Wie tat die weitüber springen!«

's ist schad nur ums Pelzlein, du kriegst mich nit!
Mein Schatz muß sein wie die andern:
Braun und ein Stutzbart auf ung'rischen Schnitt
Und ein fröhliches Herze zum Wandern.

Die Spielleute

Frühmorgens durch die Klüfte
Wir blasen Viktoria!
Eine Lerche fährt durch die Lüfte:
»Die Spielleut sind schon da!«
Da dehnt ein Turm und reckt sich
Verschlafen im Morgengrau,
Wie aus dem Traume streckt sich
Der Strom durch die stille Au,
Und ihre Äuglein balde
Tun auf die Bächlein all
Im Wald, im grünen Walde,
Das ist ein lust'ger Schall!

Das ist ein lust'ges Reisen,
Der Eichbaum kühl und frisch
Mit Schatten, wo wir speisen,
Deckt uns den grünen Tisch.
Zum Frühstück musizieren
Die muntern Vögelein,
Der Wald, wenn sie pausieren,
Stimmt wunderbar mit ein,
Die Wipfel tut er neigen,
Als gesegnet' er uns das Mahl,
Und zeigt uns zwischen den Zweigen
Tief unten das weite Tal.

Tief unten da ist ein Garten,
Da wohnt eine schöne Frau,
Wir können nicht lange warten,
Durchs Gittertor wir schaun,
Wo die weißen Statuen stehen,
Da ist's so still und kühl,
Die Wasserkünste gehen,
Der Flieder duftet schwül.
Wir ziehn vorbei und singen
In der stillen Morgenzeit,
Sie hört's im Traume klingen,
Wir aber sind schon weit.

Vor der Stadt

Zwei Musikanten ziehn daher
Vom Wald aus weiter Ferne,
Der eine ist verliebt gar sehr,
Der andre wär' es gerne.

Die stehn allhier im kalten Wind
Und singen schön und geigen:
Ob nicht ein süßverträumtes Kind
Am Fenster sich wollt' zeigen?

Der verliebte Reisende

Da fahr' ich still im Wagen,
Du bist so weit von mir,
Wohin er mich mag tragen,
Ich bleibe doch bei dir.

Da fliegen Wälder, Klüfte
Und schöne Täler tief,
Und Lerchen hoch in den Lüften,
Als ob dein Stimme rief'.

Die Sonne lustig scheinet
Weit über das Revier,
Ich bin so froh verweinet
Und singe still in mir.

Vom Berge geht's hinunter,
Das Posthorn schallt im Grund,
Mein Seel wird mir so munter,
Grüß' dich aus Herzensgrund.

*

Ich geh' durch die dunklen Gassen
Und wandre von Haus zu Haus,
Ich kann mich noch immer nicht fassen,
Sieht alles so trübe aus.

Da gehen viel Männer und Frauen,
Die alle so lustig sehn,
Die fahren und lachen und bauen,
Daß mir die Sinne vergehn.

Oft wenn ich bläuliche Streifen
Seh' über die Dächer fliehn,
Sonnenschein draußen schweifen,
Wolken am Himmel ziehn:

Da treten mitten im Scherze
Die Tränen ins Auge mir,
Denn die mich lieben von Herzen
Sind alle so weit von hier.

*

Lied, mit Tränen halb geschrieben,
Dorthin über Berg und Kluft,
Wo die Liebste mein geblieben,
Schwing dich durch die blaue Luft!

Ist sie rot und lustig, sage,
Ich sei krank von Herzensgrund;
Weint sie nachts, sinnt still bei Tage,
Ja, dann sag, ich sei gesund!

Ist vorbei ihr treues Lieben,
Nun, so end' auch Lust und Not,
Und zu allen, die mich lieben,
Flieg und sage, ich sei tot!

*

Grün war die Weide,
Der Himmel blau,
Wir saßen beide
Auf glänzender Au.

Sind's Nachtigallen
Wieder, was ruft,
Lerchen, die schallen
Aus warmer Luft?

Ich hör' die Lieder,
Fern, ohne dich,
Lenz ist's wohl wieder,
Doch nicht für mich.

*

Wolken, wälderwärts gegangen,
Wolken, fliegend übers Haus,
Könnt' ich an euch fest mich hangen,
Mit euch fliegen weit hinaus!

Taglang durch die Wälder schweif' ich,
Voll Gedanken sitz' ich still,
In die Saiten flüchtig greif' ich,
Wieder dann auf einmal still.

Schöne, rührende Geschichten
Fallen ein mir, wo ich steh',
Lustig muß ich schreiben, dichten,
Ist mir selber gleich so weh.

Manches Lied, das ich geschrieben
Wohl vor manchem langen Jahr,
Da die Welt vom treuen Lieben
Schön mir überglänzet war;

Find' ich's wieder jetzt voll Bangen:
Werd' ich wunderbar gerührt,
Denn so lang ist das vergangen,
Was mich zu dem Lied verführt.

Diese Wolken ziehen weiter,
Alle Vögel sind erweckt,
Und die Gegend glänzet heiter,
Weit und fröhlich aufgedeckt.

Regen flüchtig abwärts gehen,
Scheint die Sonne zwischendrein,
Und dein Haus, dein Garten stehen
Überm Wald im stillen Schein.

Doch du harrst nicht mehr mit Schmerzen,
Wo so lang dein Liebster sei –
Und mich tötet noch im Herzen
Dieser Schmerzen Zauberei.

Rückkehr

Mit meinem Saitenspiele,
Das schön geklungen hat,
Komm' ich durch Länder viele
Zurück in diese Stadt.

Ich ziehe durch die Gassen,
So finster ist die Nacht,
Und alles so verlassen,
Hatt's anders mir gedacht.

Am Brunnen steh' ich lange,
Der rauscht fort, wie vorher,
Kommt mancher wohl gegangen,
Es kennt mich keiner mehr.

Da hört' ich geigen, pfeifen,
Die Fenster glänzten weit,
Dazwischen drehn und schleifen
Viel fremde, fröhliche Leut.

Und Herz und Sinne mir brannten,
Mich trieb's in die weite Welt,
Es spielten die Musikanten,
Da fiel ich hin im Feld.

Auf einer Burg

Eingeschlafen auf der Lauer
Oben ist der alte Ritter;
Drüber gehen Regenschauer,
Und der Wald rauscht durch das Gitter.

Eingewachsen Bart und Haare
Und versteinert Brust und Krause,
Sitzt er viele hundert Jahre
Oben in der stillen Klause.

Draußen ist es still und friedlich,
Alle sind ins Tal gezogen,
Waldesvögel einsam singen
In den leeren Fensterbogen.

Eine Hochzeit fährt da unten
Auf dem Rhein im Sonnenscheine,
Musikanten spielen munter,
Und die schöne Braut, die weinet.

In der Fremde

Ich hör' die Bächlein rauschen
Im Walde her und hin,
Im Walde in dem Rauschen
Ich weiß nicht, wo ich bin.

Die Nachtigallen schlagen
Hier in der Einsamkeit,
Als wollten sie was sagen
Von der alten, schönen Zeit.

Die Mondesschimmer fliegen,
Als säh' ich unter mir
Das Schloß im Tale liegen,
Und ist doch so weit von hier!

Als müßte in dem Garten,
Voll Rosen weiß und rot,
Meine Liebste auf mich warten,
Und ist doch lange tot.

Sehnsucht

Es schienen so golden die Sterne,
Am Fenster ich einsam stand
Und hörte aus weiter Ferne
Ein Posthorn im stillen Land.
Das Herz mir im Leib entbrennte,
Da hab' ich mir heimlich gedacht:
Ach, wer da mitreisen könnte
In der prächtigen Sommernacht!

Zwei junge Gesellen gingen
Vorüber am Bergeshang,
Ich hörte im Wandern sie singen
Die stille Gegend entlang:
Von schwindelnden Felsenschlüften,
Wo die Wälder rauschen so sacht,
Von Quellen, die von den Klüften
Sich stürzen in die Waldesnacht.

Sie sangen von Marmorbildern,
Von Gärten, die überm Gestein
In dämmernden Lauben verwildern,
Palästen im Mondenschein,
Wo die Mädchen am Fenster lauschen,
Wann der Lauten Klang erwacht,
Und die Brunnen verschlafen rauschen
In der prächtigen Sommernacht.

Abschied

O Täler weit, o Höhen,
O schöner, grüner Wald,
Du meiner Lust und Wehen
Andächt'ger Aufenthalt!
Da draußen, stets betrogen,
Saust die geschäft'ge Welt,
Schlag noch einmal die Bogen
Um mich, du grünes Zelt!

Wenn es beginnt zu tagen,
Die Erde dampft und blinkt,
Die Vögel lustig schlagen,
Daß dir dein Herz erklingt:
Da mag vergehn, verwehen
Das trübe Erdenleid,
Da sollst du auferstehen
In junger Herrlichkeit!

Da steht im Wald geschrieben
Ein stilles, ernstes Wort
Von rechtem Tun und Lieben,
Und was des Menschen Hort.
Ich habe treu gelesen
Die Worte schlicht und wahr,
Und durch mein ganzes Wesen
Ward's unaussprechlich klar.

Bald werd' ich dich verlassen,
Fremd in der Fremde gehn,
Auf buntbewegten Gassen
Des Lebens Schauspiel sehn;
Und mitten in dem Leben
Wird deines Ernsts Gewalt
Mich Einsamen erheben,
So wird mein Herz nicht alt.

Wann der Hahn kräht

Wann der Hahn kräht auf dem Dache,
Putzt der Mond die Lampe aus,
Und die Stern' ziehn von der Wache,
Gott behüte Land und Haus!

Der Morgen

Fliegt der erste Morgenstrahl
Durch das stille Nebeltal,

Rauscht erwachend Wald und Hügel:
Wer da fliegen kann, nimmt Flügel!

Und sein Hütlein in die Luft
Wirft der Mensch vor Lust und ruft:
»Hat Gesang doch auch noch Schwingen,
Nun, so will ich fröhlich singen!«

Hinaus, o Mensch, weit in die Welt,
Bangt dir das Herz in krankem Mut;
Nichts ist so trüb in Nacht gestellt,
Der Morgen leicht macht's wieder gut.

Mittagsruh

Über Bergen, Fluß und Talen,
Stiller Lust und tiefen Qualen
Webet heimlich, schillert, Strahlen!
Sinnend ruht des Tags Gewühle
In der dunkelblauen Schwüle,
Und die ewigen Gefühle,
Was dir selber unbewußt,
Treten heimlich, groß und leise
Aus der Wirrung fester Gleise,
Aus der unbewachten Brust,
In die stillen, weiten Kreise.

Der Abend

Schweigt der Menschen laute Lust:
Rauscht die Erde wie in Träumen
Wunderbar mit allen Bäumen,
Was dem Herzen kaum bewußt,
Alte Zeiten, linde Trauer,
Und es schweifen leise Schauer
Wetterleuchtend durch die Brust.

Die Nacht

Wie schön, hier zu verträumen
Die Nacht im stillen Wald,
Wenn in den dunklen Bäumen
Das alte Märchen hallt.

Die Berg' im Mondesschimmer
Wie in Gedanken stehn,
Und durch verworrne Trümmer
Die Quellen klagend gehn.

Denn müd ging auf den Matten
Die Schönheit nun zur Ruh,
Es deckt mit kühlen Schatten
Die Nacht das Liebchen zu.

Das ist das irre Klagen
In stiller Waldespracht,
Die Nachtigallen schlagen
Von ihr die ganze Nacht.

Die Stern' gehn auf und nieder –
Wann kommst du, Morgenwind,
Und hebst die Schatten wieder
Von dem verträumten Kind?

Schon rührt sich's in den Bäumen,
Die Lerche weckt sie bald –
So will ich treu verträumen
Die Nacht im stillen Wald.

Täuschung

Ich ruhte aus vom Wandern,
Der Mond ging eben auf,
Da sah ich fern im Lande
Der alten Tiber Lauf,
Im Walde lagen Trümmer,
Paläste auf stillen Höhn

Und Gärten im Mondesschimmer –
O Welschland, wie bist du schön!

Und als die Nacht vergangen,
Die Erde blitzte so weit,
Einen Hirten sah ich hangen
Am Fels in der Einsamkeit.
Den fragt' ich ganz geblendet:
»Komm' ich nach Rom noch heut?«
Er dehnt' sich halbgewendet:
»Ihr seid nicht recht gescheut!«
Eine Winzerin lacht' herüber,
Man sah sie vor Weinlaub kaum,
Mir aber ging's Herze über –
Es war ja alles nur Traum.

Schöne Fremde

Es rauschen die Wipfel und schauern,
Als machten zu dieser Stund
Um die halbversunkenen Mauern
Die alten Götter die Rund.

Hier hinter den Myrtenbäumen
In heimlich dämmernder Pracht,
Was sprichst du wirr wie in Träumen
Zu mir, phantastische Nacht?

Es funkeln auf mich alle Sterne
Mit glühendem Liebesblick,
Es redet trunken die Ferne
Wie von künftigem, großem Glück!

Lustige Musikanten

Der Wald, der Wald, daß Gott ihn grün erhalt',
Gibt gut Quartier und nimmt doch nichts dafür.

Zum grünen Wald wir Herberg halten,
Denn Hoffart ist nicht unser Ziel,
Im Wirtshaus, wo wir nicht bezahlten,
Es war der Ehre gar zu viel.
Der Wirt, er wollt' uns gar nicht lassen,
Sie ließen Kann' und Kartenspiel,
Die ganze Stadt war in den Gassen,
Und von den Bänken mit Gebraus
Stürzt' die Schule heraus,
Wuchs der Haufe von Haus zu Haus,
Schwenkt' die Mützen und jubelt' und wogt',
Der Hatschier, die Stadtwacht, der Bettelvogt,
Wie wenn ein Prinz zieht auf die Freit,
Gab alles, alles uns fürstlich Geleit.
Wir aber schlugen den Markt hinab
Und durch die Leut mit dem Wanderstab,
Und hoch mit dem Tamburin, daß es schallt',

Zum Wald, zum Wald, zum schönen, grünen Wald!

Und da nun alle schlafen gingen,
Der Wald steckt' seine Irrlicht an,
Die Frösche tapfer Ständchen bringen,
Die Fledermaus schwirrt leis voran,
Und in dem Fluß auf feuchtem Steine
Gähnt laut der alte Wassermann,
Strählt sich den Bart im Mondenscheine
Und fragt ein Irrlicht, wer wir sind.
Das aber duckt sich geschwind;
Denn über ihn weg im Wind
Durch die Wipfel der wilde Jäger geht,
Und auf dem alten Turm sich dreht
Und kräht der Wetterhahn uns nach:
Ob wir nicht einkehrn unter sein Dach?
O Gockel, verfallen ist ja dein Haus,
Es sieht die Eule zum Fenster heraus,
Und aus allen Toren rauschet der Wald,

Der Wald, der Wald, der schöne, grüne Wald!

Und wenn wir müd einst, sehn wir blinken
Eine goldne Stadt still überm Land,
Am Tor Sankt Peter schon tut winken:
»Nur hier herein, Herr Musikant!«
Die Engel von den Zinnen fragen,
Und wie sie uns erst recht erkannt,
Sie gleich die silbernen Pauken schlagen,
Sankt Peter selbst die Becken schwenkt,
Und voll Geigen hängt
Der Himmel, Cäcilia an zu streichen fängt,
Dazwischen »Hoch vivat!«, daß es prasselt und pufft,
Werfen die andern vom Wall in die Luft
Sternschnuppen, Kometen,
Gar prächt'ge Raketen,
Versengen Sankt Peter den Bart, daß er lacht,
Und wir ziehen heim, schöner Wald, gute Nacht!

Wandersprüche

1

Es geht wohl anders, als du meinst:
Derweil du rot und fröhlich scheinst,
Ist Lenz und Sonnenschein verflogen,
Die liebe Gegend schwarz umzogen;
Und kaum hast du dich ausgeweint,
Lacht alles wieder, die Sonne scheint –
Es geht wohl anders, als man meint.

2

Herz, in deinen sonnenhellen
Tagen halt nicht karg zurück!
Allwärts fröhliche Gesellen
Trifft der Frohe und sein Glück.

Sinkt der Stern: alleine wandern
Magst du bis ans End der Welt –
Bau du nur auf keinen andern
Als auf Gott, der Treue hält.

3

Was willst auf dieser Station
So breit dich niederlassen?
Wie bald nicht bläst der Postillion,
Du mußt doch alles lassen.

4

Die Lerche grüßt den ersten Strahl,
Daß er die Brust ihr zünde,
Wenn träge Nacht noch überall
Durchschleicht die tiefen Gründe.

Und du willst, Menschenkind, der Zeit
Verzagend unterliegen?
Was ist dein kleines Erdenleid?
Du mußt es überfliegen!

5

Der Sturm geht lärmend um das Haus,
Ich bin kein Narr und geh' hinaus,
Aber bin ich eben draußen,
Will ich mich wacker mit ihm zausen.

6

Ewig muntres Spiel der Wogen!
Viele hast du schon belogen,
Mancher kehrt nicht mehr zurück.
Und doch weckt das Wellenschlagen
Immer wieder frisches Wagen,
Falsch und lustig wie das Glück.

7

Der Wandrer, von der Heimat weit,
Wenn rings die Gründe schweigen,
Der Schiffer in Meeres Einsamkeit,
Wenn die Stern aus den Fluten steigen:

Die beiden schauern und lesen
In stiller Nacht,
Was sie nicht gedacht,
Da es noch fröhlicher Tag gewesen.

Erinnerung

1

Lindes Rauschen in den Wipfeln,
Vöglein, die ihr fernab fliegt,
Bronnen von den stillen Gipfeln,
Sagt, wo meine Heimat liegt?

Heut im Traum sah ich sie wieder,
Und von allen Bergen ging
Solches Grüßen zu mir nieder,
Daß ich an zu weinen fing.

Ach, hier auf den fremden Gipfeln:
Menschen, Quellen, Fels und Baum,
Wirres Rauschen in den Wipfeln –
Alles ist mir wie ein Traum.

2

Die fernen Heimathöhen,
Das stille, hohe Haus,
Der Berg, von dem ich gesehen
Jeden Frühling ins Land hinaus,
Mutter, Freunde und Brüder,
An die ich so oft gedacht,
Es grüßt mich alles wieder
In stiller Mondesnacht.

Heimweh

Wer in die Fremde will wandern,
Der muß mit der Liebsten gehn,
Es jubeln und lassen die andern
Den Fremden alleine stehn.

Was wisset ihr, dunkele Wipfel,
Von der alten, schönen Zeit?
Ach, die Heimat hinter den Gipfeln,
Wie liegt sie von hier so weit!

Am liebsten betracht' ich die Sterne,
Die schienen, wie ich ging zu ihr,
Die Nachtigall hör' ich so gerne,
Sie sang vor der Liebsten Tür.

Der Morgen, das ist meine Freude!
Da steig' ich in stiller Stund
Auf den höchsten Berg in die Weite,
Grüß' dich, Deutschland, aus Herzensgrund!

An der Grenze

Die treuen Berg stehn auf der Wacht:
»Wer streicht bei stiller Morgenzeit
Da aus der Fremde durch die Heid?«
Ich aber mir die Berg betracht'
Und lach' in mich vor großer Lust
Und rufe recht aus frischer Brust
Parol und Feldgeschrei sogleich:
»Vivat Östreich!«

Da kennt mich erst die ganze Rund,
Nun grüßen Bach und Vöglein zart
Und Wälder rings nach Landesart,
Die Donau blitzt aus tiefem Grund,
Der Stephansturm auch ganz von fern
Guckt übern Berg und säh' mich gern,
Und ist er's nicht, so kommt er doch gleich,
»Vivat Östreich!«

Wanderlied der Prager Studenten

Nach Süden nun sich lenken
Die Vöglein allzumal,
Viel Wandrer lustig schwenken
Die Hüt' im Morgenstrahl.
Das sind die Herrn Studenten,
Zum Tor hinaus es geht,
Auf ihren Instrumenten

Sie blasen zum Valet:
»Ade in die Läng' und Breite,
O Prag, wir ziehn in die Weite:
Et habeat bonam pacem,
Qui sedet post fornacem!«

Nachts wir durchs Städtlein schweifen,
Die Fenster schimmern weit,
Am Fenster drehn und schleifen
Viel schön geputzte Leut.
Wir blasen vor den Türen
Und haben Durst genung,
Das kommt vom Musizieren,
Herr Wirt, einen frischen Trunk!
Und siehe, über ein kleines
Mit einer Kanne Weines
Venit ex sua domo –
Beatus ille homo!

Nun weht schon durch die Wälder
Der kalte Boreas,
Wir streichen durch die Felder,
Von Schnee und Regen naß,
Der Mantel fliegt im Winde,
Zerrissen sind die Schuh',
Da blasen wir geschwinde
Und singen noch dazu:
»Beatus ille homo
Qui sedet in sua domo
Et sedet post fornacem
Et habet bonam pacem!«

Anklänge

1

Vöglein in den sonn'gen Tagen!
Lüfte blau, die mich verführen!
Könnt' ich bunte Flügel rühren,
Über Berg und Wald sie schlagen!

Ach, es spricht des Frühlings Schöne,
Und die Vögel alle singen:
Sind die Farben denn nicht Töne
Und die Töne bunte Schwingen?

Vöglein, ja, ich lass' das Zagen!
Winde sanft die Segel rühren,
Und ich lasse mich entführen,
Ach, wohin, mag ich nicht fragen.

2

Ach, wie ist es doch gekommen,
Daß die ferne Waldespracht
So mein ganzes Herz genommen,
Mich um alle Ruh gebracht!

Wenn von drüben Lieder wehen,
Waldhorn gar nicht enden will,
Weiß ich nicht, wie mir geschehen,
Und im Herzen bet' ich still.

Könnt' ich zu den Wäldern flüchten,
Mit dem Grün in frischer Lust
Mich zum Himmelsglanz aufrichten –
Stark und frei wär' da die Brust!

Hörnerklang und Lieder kämen
Nicht so schmerzlich an mein Herz,
Fröhlich wollt' ich Abschied nehmen,
Zög' auf ewig wälderwärts.

3

Wenn die Klänge nahn und fliehen
In den Wogen süßer Lust,
Ach, nach tiefern Melodien
Sehnt sich einsam oft die Brust.

Wenn auf Bergen blüht die Frühe,
Wieder buntbewegt die Straßen,
Freut sich alles, wie es glühe,
Himmelwärts die Erde blühe:
Einer doch muß tief erblassen,
Goldne Träume, Sternenlust
Wollten ewig ihn nicht lassen –
Sehnt sich einsam oft die Brust.

Und aus solcher Schmerzen Schwellen,
Was so lange dürstend rang,
Will ans Licht nun rastlos quellen,
Stürzend mit den Wasserfällen,
Himmelstäubend, jubelnd, bang,
Nach der Ferne sanft zu ziehen,
Wo so himmlisch Rufen sang,
Ach, nach tiefern Melodien.

Blüten licht nun Blüten drängen,
Daß er möcht' vor Glanz erblinden;
In den dunklen Zaubergängen,
Von den eigenen Gesängen
Hold gelockt, kann er nicht finden
Aus dem Labyrinth der Brust.
Alles, alles will's verkünden
In den Wogen süßer Lust.

Doch durch dieses Rauschen wieder
Hört er heimlich Stimmen ziehen,
Wie ein Fall verlorner Lieder
Und er schaut betroffen nieder:
»Wenn die Klänge nahn und fliehen
In den Wogen süßer Lust,
Ach, nach tiefern Melodien
Sehnt sich einsam oft die Brust!«

Ewig's Träumen von den Fernen!
Endlich ist das Herz erwacht
Unter Blumen, Klang und Sternen
In der dunkelgrünen Nacht.

Schlummernd unter blauen Wellen
Ruht der Knabe unbewußt,
Engel ziehen durch die Brust;
Oben hört er in den Wellen
Ein unendlich Wort zerrinnen,
Und das Herze weint und lacht,
Doch er kann sich nicht besinnen
In der dunkelgrünen Nacht.

Frühling will das Blau befreien,
Aus der Grüne, aus dem Schein
Ruft es lockend: »Ewig dein« –
Aus der Minne Zaubereien
Muß er sehnen sich nach Fernen,
Denkend alter Wunderpracht,
Unter Blumen, Klang und Sternen
In der dunkelgrünen Nacht.

Heil'ger Kampf nach langem Säumen,
Wenn süßschauernd an das Licht
Lieb in dunkle Klagen bricht!
Aus der Schmerzen Sturz und Schäumen
Steigt Geliebte, Himmel, Fernen –
Endlich ist das Herz erwacht
Unter Blumen, Klang und Sternen
In der dunkelgrünen Nacht.

Und der Streit muß sich versöhnen,
Und die Wonne und den Schmerz
Muß er ewig himmelwärts
Schlagen nun in vollen Tönen:
Ewig's Träumen von den Fernen!
Endlich ist das Herz erwacht
Unter Blumen, Klang und Sternen
In der dunkelgrünen Nacht.

Hippogryph

Das ist ein Flügelpferd mit Silberschellen,
Das heitere Gesellen
Empor hebt über Heidekraut und Klüfte,
Daß durch den Strom der Lüfte,
Die um den Reisehut melodisch pfeifen,
Des Ernsts Gewalt und Torenlärm der Schlüfte
Als Frühlingsjauchzen nur die Brust mag streifen;
Und so im Flug belauschen
Des trunknen Liedergottes rüst'ge Söhne,
Wenn alle Höhn und Täler blühn und rauschen,
Im Morgenbad des Lebens ew'ge Schöne,
Die, in dem Glanz erschrocken,
Sie glühend anblickt aus den dunklen Locken.

Die zwei Gesellen

Es zogen zwei rüst'ge Gesellen
Zum erstenmal von Haus,
So jubelnd recht in die hellen,
Klingenden, singenden Wellen
Des vollen Frühlings hinaus.

Die strebten nach hohen Dingen,
Die wollten, trotz Lust und Schmerz,
Was Recht's in der Welt vollbringen,
Und wem sie vorübergingen,
Dem lachten Sinnen und Herz.

Der erste, der fand ein Liebchen,
Die Schwieger kauft' Hof und Haus;
Der wiegte gar bald ein Bübchen
Und sah aus heimlichem Stübchen
Behaglich ins Feld hinaus.

Dem zweiten sangen und logen
Die tausend Stimmen im Grund,
Verlockend' Sirenen, und zogen
Ihn in der buhlenden Wogen
Farbig klingenden Schlund.

Und wie er auftaucht' vom Schlunde,
Da war er müde und alt,
Sein Schifflein, das lag im Grunde,
So still war's rings in die Runde,
Und über die Wasser weht's kalt.

Es singen und klingen die Wellen
Des Frühlings wohl über mir;
Und seh' ich so kecke Gesellen,
Die Tränen im Auge mir schwellen –
Ach Gott, führ uns liebreich zu Dir!

Sonette

Wer einmal tief und durstig hat getrunken,
Den zieht zu sich hinab die Wunderquelle,
Daß er melodisch mit zieht selbst als Welle,
Auf der die Welt sich bricht in tausend Funken.

Es wächst sehnsüchtig, stürzt und leuchtet trunken
Jauchzend im Innersten die heil'ge Quelle,
Bald Bahn sich brechend durch die Kluft zur Helle,
Bald kühle rauschend dann in Nacht versunken.

So laß es ungeduldig brausen, drängen!
Hoch schwebt der Dichter drauf in goldnem Nachen,
Sich selber heilig opfernd in Gesängen.

Die alten Felsen spalten sich mit Krachen,
Von drüben grüßen schon verwandte Lieder,
Zum ew'gen Meere führt er alle wieder.

*

Nicht Träume sind's und leere Wahngesichte,
Was von dem Volk den Dichter unterscheidet.
Was er inbrünstig bildet, liebt und leidet,
Es ist des Lebens wahrhafte Geschichte.

Er fragt nicht viel, wie ihn die Menge richte,
Der eignen Ehr nur in der Brust vereidet;
Denn wo begeistert er die Blicke weidet,
Grüßt ihn der Weltkreis mit verwandtem Lichte.

Die schöne Mutter, die ihn hat geboren,
Den Himmel liebt er, der ihn auserkoren,
Läßt beide Haupt und Brust sich heiter schmücken.

Die Menge selbst, die herbraust, ihn zu fragen
Nach seinem Recht, muß den Beglückten tragen,
Als Element ihm bietend ihren Rücken.

*

Ihm ist's verliehn, aus den verworrnen Tagen,
Die um die andern sich wie Kerker dichten,
Zum blauen Himmel sich emporzurichten,
In Freudigkeit »Hie bin ich, Herr!« zu sagen.

Das Leben hat zum Ritter ihn geschlagen,
Er soll der Schönheit neid'sche Kerker lichten;
Daß nicht sich alle götterlos vernichten,
Soll er die Götter zu beschwören wagen.

Tritt erst die Lieb auf seine blühnden Hügel,
Fühlt er die reichen Kränze in den Haaren,
Mit Morgenrot muß sich die Erde schmücken;

Süßschauernd dehnt der Geist die großen Flügel,
Es glänzt das Meer – die mut'gen Schiffe fahren,
Da ist nichts mehr, was ihm nicht sollte glücken!

Wehmut

1

Ich kann wohl manchmal singen,
Als ob ich fröhlich sei,
Doch heimlich Tränen dringen,
Da wird das Herz mir frei.

So lassen Nachtigallen,
Spielt draußen Frühlingsluft,
Der Sehnsucht Lied erschallen
Aus ihres Käfigs Gruft.

Da lauschen alle Herzen,
Und alles ist erfreut,
Doch keiner fühlt die Schmerzen,
Im Lied das tiefe Leid.

2

Sage mir, mein Herz, was willst du?
Unstet schweift dein bunter Will;
Manches andre Herz wohl stillst du,
Nur du selbst wirst niemals still.

»Eben, wenn ich munter singe,
Um die Angst mir zu zerstreun,
Ruh und Frieden manchen bringe,
Daß sich viele still erfreun:

Faßt mich erst recht tief Verlangen
Nach viel andrer, beßrer Lust,
Die die Töne nicht erlangen –
Ach, wer sprengt die müde Brust?«

3

Es waren zwei junge Grafen
Verliebt bis in den Tod,
Die konnten nicht ruhn, noch schlafen
Bis an den Morgen rot.

O trau den zwei Gesellen,
Mein Liebchen, nimmermehr,
Die gehn wie Wind und Wellen,
Gott weiß: wohin, woher. –

Wir grüßen Land und Sterne
Mit wunderbarem Klang,
Und wer uns spürt von ferne,
Dem wird so wohl und bang.

Wir haben wohl hienieden
Kein Haus an keinem Ort,
Es reisen die Gedanken
Zur Heimat ewig fort.

Wie eines Stromes Dringen
Geht unser Lebenslauf,
Gesanges Macht und Ringen
Tut helle Augen auf.

Und Ufer, Wolkenflügel,
Die Liebe hoch und mild –
Es wird in diesem Spiegel
Die ganze Welt zum Bild.

Dich rührt die frische Helle,
Das Rauschen heimlich kühl,
Das lockt dich zu der Welle,
Weil's draußen leer und schwül.

Doch wolle nie dir halten
Der Bilder Wunder fest,
Tot wird ihr freies Walten,
Hältst du es weltlich fest.

Kein Bett darf er hier finden.
Wohl in den Tälern schön
Siehst du sein Gold sich winden,
Dann plötzlich meerwärts drehn.

Sängerglück

Herbstlich alle Fluren rings verwildern,
Und unkenntlich wird die Welt.
Dieses Scheidens Schmerzen sich zu mildern,
Wenn die Zauberei zerfällt,
Sinnt der Dichter, treulich abzuschildern
Den versunkenen Glanz der Welt.
Selig Herze, das in kühnen Bildern
Ewig sich die Schönheit hält!

Morgenlied

Ein Stern still nach dem andern fällt
Tief in des Himmels Kluft,
Schon zucken Strahlen durch die Welt,
Ich wittre Morgenluft.

In Qualmen steigt und sinkt das Tal;
Verödet noch vom Fest
Liegt still der weite Freudensaal,
Und tot noch alle Gäst'.

Da hebt die Sonne aus dem Meer
Eratmend ihren Lauf;
Zur Erde geht, was feucht und schwer,
Was klar, zu ihr hinauf.

Hebt grüner Wälder Trieb und Macht
Neurauschend in die Luft,
Zieht hinten Städte, eitel Pracht,
Blau Berge durch den Duft.

Spannt aus die grünen Tepp'che weich,
Von Strömen hell durchrankt,
Und schallend glänzt das frische Reich,
So weit das Auge langt.

Der Mensch nun aus der tiefen Welt
Der Träume tritt heraus,
Freut sich, daß alles noch so hält,
Daß noch das Spiel nicht aus.

Und nun geht's an ein Fleißigsein!
Umsumsend Berg und Tal,
Agieret lustig groß und klein
Den Plunder allzumal.

Die Sonne steiget einsam auf,
Ernst über Lust und Weh
Lenkt sie den ungestörten Lauf
Zu stiller Glorie. –

Und *wie* er dehnt die Flügel aus,
Und *wie* er auch sich stellt,
Der Mensch kann nimmermehr hinaus
Aus dieser Narrenwelt.

Guter Rat

Springer, der in luft'gem Schreiten
Über die gemeine Welt
Kokettiert mit den Leuten,
Sicherlich vom Seile fällt.

Schiffer, der nach jedem Winde,
Blas' er witzig oder dumm,
Seine Segel stellt geschwinde,
Kommt im Wasser schmählich um.

Weisen Sterne doch die Richtung,
Hörst du nachts doch fernen Klang,
Dorthin liegt das Land der Dichtung,
Fahre zu und frag nicht lang.

Umkehr

Leben kann man nicht von Tönen,
Poesie geht ohne Schuh,
Und so wandt' ich denn der Schönen
Endlich auch den Rücken zu.

Lange durch die Welt getrieben
Hat mich nun die irre Hast,
Immer doch bin ich geblieben
Nur ein ungeschickter Gast.

Überall zu spät zum Schmause
Kam ich, wenn die andern voll,
Trank die Neigen vor dem Hause,
Wußt' nicht, wem ich's trinken soll.

Mußt' mich vor Fortuna bücken
Ehrfurchtsvoll bis auf die Zeh'n,
Vornehm wandt' sie mir den Rücken,
Ließ mich so gebogen stehn.

Und als ich mich aufgerichtet
Wieder frisch und frei und stolz,
Sah ich Berg und Tal gelichtet,
Blühen jedes dürre Holz.

Welt hat eine plumpe Pfote,
Wandern kann man ohne Schuh –
Deck mit deinem Morgenrote
Wieder nur den Wandrer zu!

Intermezzo

Blonder Ritter

Blonder Ritter, blonder Ritter,
Deine Blicke, weltschmerzdunkel,
Statt durch Helmes Eisengitter,
Durch die Brille gläsern funkeln.

Hinterm Ohre, statt vom Leder,
Zornig mit verwegner Finte
Ziehst du statt des Schwerts die Feder,
Und statt Blutes fließet Dinte.

Federspritzeln, Ehrbeklecken,
Ungeheueres Geschnatter!
Wilde Recken, wilde Recken,
Trampelt nicht die Welt noch platter.

Entgegnung

»Sei antik doch, sei teutonisch,
Lern, skandiere unverdrossen,
Freundchen, aber nur ironisch!
Und vor allem laß die Possen,
Die man sonst genannt: romantisch.«
Also hört man's ringsher schallen;
Aber mich bedünkt: pedantisch
Sei das schlimmste doch von allen.

Wem der Herr den Kranz gewunden,
Wird nach alle dem nicht fragen,
Sondern muß, wie er's befunden,
Auf die eigne Weise sagen,
Stets aufs neu mit freud'gem Schrecken,
Ist sie auch die alte blieben,
Sich die schöne Welt entdecken,
Ewig jung ist, was wir lieben!

Oft durch des Theaters Ritzen
Bricht's mit wunderbarem Lichte,
Wenn der Herr in feur'gen Blitzen
Dichtend schreibt die Weltgeschichte,
Und das ist der Klang der Wehmut,
Der durch alle Dichtergeister
Schauernd geht, wenn sie in Demut
Über sich erkannt den Meister.

Der Isegrim

Aktenstöße nachts verschlingen,
Schwatzen nach der Welt Gebrauch
Und das große Tretrad schwingen
Wie ein Ochs, das kann ich auch.

Aber glauben, daß der Plunder,
Eben nicht der Plunder wär',
Sondern ein hochwichtig Wunder,
Das gelang mir nimmermehr.

Aber andre überwitzen,
Daß ich mit dem Federkiel,
Könnt' den morschen Weltbau stützen,
Schien mir immer Narrenspiel.

Und so, weil ich in dem Drehen
Da steh' oft wie ein Pasquill,
Läßt die Welt mich eben stehen –
Mag sie's halten, wie sie will!

Der alte Held

(Tafellied zu Goethes Geburtstag 1831)

»Ich habe gewagt und gesungen,
Da die Welt noch stumm lag und bleich,
Ich habe den Bann bezwungen,
Der die schöne Braut hielt umschlungen,
Ich habe erobert das Reich.«

»Ich habe geforscht und ergründet
Und tat es euch treulich kund:
Was das Leben dunkel verkündet,
Die Heilige Schrift, die entzündet
Der Herr in der Seelen Grund.«

»Wie rauschen nun Wälder und Quellen
Und singen vom ewigen Port:
Schon seh' ich Morgenrot schwellen,
Und ihr dort, ihr jungen Gesellen,
Fahrt immer immerfort!«

Und so, wenn es still geworden,
Schaut er vom Turm bei Nacht
Und segnet den Sängerorden,
Der an den blühenden Borden
Das schöne Reich bewacht.

Dort hat er nach Lust und Streiten
Das Banner aufgestellt,
Und die auf dem Strome der Zeiten
Am Felsen vorübergleiten,
Sie grüßen den alten Held.

Toast

Auf das Wohlsein der Poeten
Die nicht schillern und nicht goethen,
Durch die Welt in Lust und Nöten
Segelnd frisch auf eignen Böten.

Heimweh

An meinen Bruder

Du weißt's, dort in den Bäumen
Schlummert ein Zauberbann,
Und nachts oft, wie in Träumen,
Fängt der Garten zu singen an.

Nachts durch die stille Runde
Weht's manchmal bis zu mir,
Da ruf' ich aus Herzensgrunde,
O Bruderherz nach dir.

So fremde sind die andern,
Mir graut im fremden Land,
Wir wollen zusammen wandern,
Reich treulich mir die Hand!

Wir wollen zusammen ziehen,
Bis daß wir wandermüd
Auf des Vaters Grabe knien
Bei dem alten Zauberlied.

Zauberblick

Die Burg, die liegt verfallen,
In schöner Einsamkeit,
Dort saß ich vor den Hallen
Bei stiller Mittagszeit.

Es ruhten in der Kühle
Die Rehe auf dem Wall
Und tief in blauer Schwüle
Die sonn'gen Täler all.

Tief unten hört' ich Glocken
In weiter Ferne gehn,
Ich aber mußt' erschrocken
Zum alten Erker sehn.

Denn in dem Fensterbogen
Ein schöne Fraue stand,
Als hütete sie droben
Die Wälder und das Land.

Ihr Haar, wie 'n goldner Mantel,
War tief herabgerollt;
Auf einmal sie sich wandte,
Als ob sie sprechen wollt'.

Und als ich schauernd lauschte –
Da war ich aufgewacht,
Und unter mir schon rauschte
So wunderbar die Nacht.

Träumt' ich im Mondesschimmer?
Ich weiß nicht, was mir graut,
Doch das vergess' ich nimmer,
Wie sie mich angeschaut!

Waldgespräch

Es ist schon spät, es wird schon kalt,
Was reit'st du einsam durch den Wald?
Der Wald ist lang, du bist allein,
Du schöne Braut! Ich führ' dich heim!

»Groß ist der Männer Trug und List,
Vor Schmerz mein Herz gebrochen ist,
Wohl irrt das Waldhorn her und hin,
O flieh! Du weißt nicht, wer ich bin.«

So reich geschmückt ist Roß und Weib,
So wunderschön der junge Leib,
Jetzt kenn' ich dich – Gott steh' mir bei!
Du bist die Hexe Lorelei.

»Du kennst mich wohl – von hohem Stein
Schaut still mein Schloß tief in den Rhein.
Es ist schon spät, es ist schon kalt,
Kommst nimmermehr aus diesem Wald!«

Lockung

Hörst du nicht die Bäume rauschen
Draußen durch die stille Rund?
Lockt's dich nicht, hinabzulauschen
Von dem Söller in den Grund,
Wo die vielen Bäche gehen
Wunderbar im Mondenschein
Und die stillen Schlösser sehen
In den Fluß vom hohen Stein?

Kennst du noch die irren Lieder
Aus der alten, schönen Zeit?
Sie erwachen alle wieder
Nachts in Waldeseinsamkeit,
Wenn die Bäume träumend lauschen
Und der Flieder duftet schwül
Und im Fluß die Nixen rauschen –
Komm herab, hier ist's so kühl.

Der zaubrische Spielmann

Nächtlich in dem stillen Grunde,
Wenn das Abendrot versank,
Um das Waldschloß in die Runde
Ging ein lieblicher Gesang.

Fremde waren diese Weisen
Und der Sänger unbekannt,
Aber, wie in Zauberkreisen,
Hielt er jede Brust gebannt.

Hinter blühnden Mandelbäumen
Auf dem Schloß das Fräulein lauscht –
Drunten alle Blumen träumen,
Wollüstig der Garten rauscht.

Und die Wellen buhlend klingen,
Ringend in geheimer Lust
Kommt das wunderbare Singen
An die süß verträumte Brust.

»Warum weckst du das Verlangen,
Das ich kaum zur Ruh gebracht?
Siehst du hoch die Lilien prangen?
Böser Sänger, gute Nacht!

Sieh, die Blumen stehn voll Tränen,
Einsam die Viole wacht,
Als wollt' sie sich schmachtend dehnen
In die warme Sommernacht.

Wohl von süßem, rotem Munde
Kommt so holden Sanges Macht –
Bleibst du ewig dort im Grunde,
Unerkannt in stiller Nacht?

Ach, im Wind verfliegt mein Grüßen!
Einmal, eh der Tag erwacht,
Möcht' ich deinen Mund nur küssen,
Sterbend so in süßer Nacht!

Nachtigall, verliebte, klage
Nicht so schmeichelnd durch die Nacht! –
Ach, ich weiß nicht, was ich sage,
Krank bin ich und überwacht.«

Also sprach sie, und die Lieder
Lockten stärker aus dem Tal,
Rings durchs ganze Tal hallt's wider
Von der Liebe Lust und Qual.

Und sie konnt' nicht widerstehen,
Enge ward ihr das Gemach,
Aus dem Schlosse mußt' sie gehen
Diesem Zauberstrome nach.

Einsam steigt sie von den Stufen,
Ach, so schwüle weht der Wind:
Draußen süß die Stimmen rufen
Immerfort das schöne Kind.

Alle Blumen trunken lauschen,
Von den Klängen hold durchirrt,
Lieblicher die Brunnen rauschen,
Und sie eilet süß verwirrt. –

Wohl am Himmel auf und nieder
Trieb der Hirt die goldne Schar,
Die Verliebte kehrt' nicht wieder,
Leer nun Schloß und Garten war.

Und der Sänger seit der Stunde
Nicht mehr weiter singen will,
Rings im heimlich kühlen Grunde
War's vor Liebe selig still.

Rückblick

Ich wollt' im Walde dichten
Ein Heldenlied voll Pracht,
Verwickelte Geschichten
Recht sinnreich ausgedacht.
Da rauschten Bäume, sprangen
Vom Fels die Bäche drein,
Und tausend Stimmen klangen
Verwirrend aus und ein.
Und manches Jauchzen schallen
Ließ sich aus frischer Brust,
Doch aus den Helden allen
Ward nichts vor tiefer Lust.
Kehr' ich zur Stadt erst wieder
Aus Feld und Wäldern kühl,
Da kommen all die Lieder
Von fern durchs Weltgewühl,
Es hallen Lust und Schmerzen
Noch einmal leise nach,
Und bildend wird im Herzen
Die alte Wehmut wach,
Der Winter auch derweile
Im Feld die Blumen bricht –
Dann gibt's vor Langerweile
Ein überlang Gedicht!

Sommerschwüle

Ich klimm' zum Berg und schau' zur niedern Erde,
Ich klimm' hinab und schau' die Berge an,
Süß-melancholisch spitzt sich die Gebärde
Und gift'ge Weltverachtung ficht mich an;
Doch will aus Schmerz und Haß nichts Rechtes werden.
Ermanne dich! – Ich bin doch wohl ein Mann? –
Und ach, wie träge Silb aus Silbe schleichet,
Mit Not hab' ich den letzten Reim erreichet.

O weg mit Reim und Leierklang und Singen!
Faß, Leben, wieder mich lebendig an!
Mit deiner Woge will ich freudig ringen,
Die tief mich stürzt, hebt mich auch himmelan.
Im Sturme spannt der Adler seine Schwingen –
Blas zu! Da spür' ich wieder, daß ich Mann!
Viel lieber will ich raschen Tod erwerben,
Als, so verschmachtend, lebenslang zu sterben.

Frisch auf!

Ich saß am Schreibtisch bleich und krumm,
Es war in meinem Kopf ganz dumm
Vor Dichten, wie ich alle die Sachen
Sollte aufs allerbeste machen.
Da guckt am Fenster im Morgenlicht
Durchs Weinlaub ein wunderschönes Gesicht,
Guckt und lacht, kommt ganz herein
Und kramt mir unter den Blättern mein.
Ich, ganz verwundert: »Ich sollt' dich kennen –«
Sie aber, statt ihren Namen zu nennen:
»Pfui, in dem Schlafrock siehst ja aus
Wie ein verfallenes Schilderhaus!
Willst du denn hier in der Tinte sitzen,
Schau, wie die Felder da draußen blitzen!«
So drängt sie mich fort unter Lachen und Streit,
Mir tat's um die schöne Zeit nur leid.
Drunten aber unter den Bäumen
Stand ein Roß mit funkelnden Zäumen.
Sie schwang sich lustig mit mir hinauf,
Die Sonne draußen ging eben auf,
Und eh ich mich konnte bedenken und fassen,
Ritten wir rasch durch die stillen Gassen,
Und als wir kamen vor die Stadt,
Das Roß auf einmal zwei Flügel hatt',
Mir schauerte es recht durch alle Glieder:
»Mein Gott, ist's denn schon Frühling wieder?«
Sie aber wies mir, wie wir so zogen,
Die Länder, die unten vorüberflogen,
Und hoch über dem allerschönsten Wald

Machte sie lächelnd auf einmal halt.
Da sah ich erschrocken zwischen den Bäumen
Meine Heimat unten, wie in Träumen,
Das Schloß, den Garten und die stille Luft,
Die blauen Berge dahinter im Duft
Und alle die schöne, alte Zeit
In der wundersamen Einsamkeit.
Und als ich mich wandte, war ich allein,
Das Roß nur wiehert' in den Morgen hinein,
Mir aber war's, als wär' ich wieder jung,
Und wußte der Lieder noch genung!

Frühlingsklage

Ach, was frommt das Wehen, Sprossen,
In der schönen Frühlingszeit:
Ist des Liedes Born verschlossen
Und der Seele Freudigkeit,
Die erst Blüten bringt den Sprossen
Und den Frühling in die Zeit.

Gib den alten Frieden wieder,
In der Brust den Sonnenschein,
Gib die Laute mir und Lieder,
Dann laß blühen oder schnein,
Selbst weck' ich den Lenz mir wieder,
Sollt' es auch der letzte sein!

An die Waldvögel

Konnt' mich auch sonst mitschwingen
Übers grüne Revier,
Hatt' ein Herz zum Singen
Und Flügel wie ihr.

Flog über die Felder,
Da blüht' es wie Schnee,
Und herauf durch die Wälder
Spiegelt' die See.

Ein Schiff sah ich gehen
Fort über das Meer,
Meinen Liebsten drin stehen –
Dacht' meiner nicht mehr.

Und die Segel verzogen,
Und es dämmert' das Feld,
Und ich hab' mich verflogen
In der weiten, weiten Welt.

Frühe

Im Osten graut's, der Nebel fällt,
Wer weiß, wie bald sich's rühret!
Doch schwer im Schlaf noch ruht die Welt,
Von allem nichts verspüret.

Nur eine frühe Lerche steigt,
Es hat ihr was geträumet
Vom Lichte, wenn noch alles schweigt,
Das kaum die Höhen säumet.

Zum Abschied

Der Herbstwind schüttelt die Linde,
Wie geht die Welt so geschwinde!
Halte dein Kindlein warm.
Der Sommer ist hingefahren,
Da wir zusammen waren –
Ach, die sich lieben, wie arm!

Wie arm, die sich lieben und scheiden!
Das haben erfahren wir beiden,
Mir graut vor dem stillen Haus.
Dein Tüchlein noch läßt du wehen,
Ich kann's vor Tränen kaum sehen,
Schau' still in die Gasse hinaus.

Die Gassen schauen noch nächtig,
Es rasselt der Wagen bedächtig –
Nun plötzlich rascher der Trott
Durchs Tor in die Stille der Felder,
Da grüßen so mutig die Wälder,
Lieb Töchterlein, fahre mit Gott!

Vergebner Ärger

Im alten Hause steh' ich in Gedanken;
Es ist das Haus nicht mehr, der Wind mit Schauern
Geht durch das Gras im Hof, und Eulen lauern
In leeren Fenstern, die schon halb versanken.

Mich ärgern nur die jungen, kecken Ranken,
Die wie zum Spott noch schmücken Tor und Mauern,
Die grünen Birken, die mit falschem Trauern
Leicht überm Grabe meiner Lieben schwanken.

So, Nachteul selber, auf dem öden Gipfel
Saß ich in meines Jugendglücks Ruinen,
Dumpf brütend über unerhörten Sorgen;

Da blitzten Frühlingslichter durch die Wipfel,
Die leuchtend unter mir das Land beschienen,
Und nichts nach Eulen fragt der junge Morgen.

Der verspätete Wanderer

Wo aber werd' ich sein im künft'gen Lenze?
So frug ich sonst wohl, wenn beim Hüteschwingen

Ins Tal wir ließen unser Lied erklingen,
Denn jeder Wipfel bot mir frische Kränze.

Ich wußte nur, daß rings der Frühling glänze,
Daß nach dem Meer die Ströme leuchtend gingen,
Vom fernen Wunderland die Vögel singen,
Da hatt' das Morgenrot noch keine Grenze.

Jetzt aber wird's schon Abend, alle Lieben
Sind wandermüde längst zurückgeblieben,
Die Nachtluft rauscht durch meine welken Kränze.

Und heimwärts rufen mich die Abendglocken,
Und in der Einsamkeit frag' ich erschrocken:
Wo werde ich wohl sein im künft'gen Lenze?

Trost

Es haben viel Dichter gesungen
Im schönen deutschen Land,
Nun sind ihre Lieder verklungen,
Die Sänger ruhen im Sand.

Aber solange noch kreisen
Die Stern um die Erde rund,
Tun Herzen in neuen Weisen
Die alte Schönheit kund.

Im Walde da liegt verfallen
Der alten Helden Haus,
Doch aus den Toren und Hallen
Bricht jährlich der Frühling aus.

Und wo immer müde Fechter
Sinken im mutigen Strauß,
Es kommen frische Geschlechter
Und fechten es ehrlich aus.

Sängerfahrt

Kühlrauschend unterm hellen
Tiefblauen Himmelsdom
Treibt seine klaren Wellen
Der ew'gen Jugend Strom.

Viel rüstige Gesellen,
Den Argonauten gleich,
Sie fahren auf den Wellen
Ins duft'ge Frühlingsreich.

Ich aber fass' den Becher,
Daß es durchs Schiff erklingt,
Am Mast steh' ich als Sprecher,
Der für euch alle singt.

Wie stehn wir hier so helle!
Wird mancher bald schlafen gehn,
O Leben, wie bist du schnelle,
O Leben, wie bist du schön!

Gegrüßt, du weite Runde,
Burg auf der Felsenwand,
Du Land voll großer Kunde,
Mein grünes Vaterland!

Euch möcht' ich alles geben,
Und ich bin fürstlich reich,
Mein Herzblut und mein Leben,
Ihr Brüder, alles für euch!

So fahrt im Morgenschimmer!
Sei's Donau oder Rhein,
Ein rechter Strom bricht immer
Ins ew'ge Meer hinein.

Lieber alles

Soldat sein ist gefährlich,
Studieren sehr beschwerlich,
Das Dichten süß und zierlich,
Der Dichter gar possierlich
In diesen wilden Zeiten.
Ich möcht' am liebsten reiten,
Ein gutes Schwert zur Seiten,
Die Laute in der Rechten,
Studentenherz zum Fechten.
Ein wildes Roß ist 's Leben
Die Hufe Funken geben,
Wer's ehrlich wagt, bezwingt es,
Und wo es tritt, da klingt es!

Klage

1809

O könnt' ich mich niederlegen
Weit in den tiefsten Wald,
Zu Häupten den guten Degen,
Der noch von den Vätern alt,

Und dürft' von allem nichts spüren
In dieser dummen Zeit,
Was sie da unten hantieren,
Von Gott verlassen, zerstreut;

Von fürstlichen Taten und Werken,
Von alter Ehre und Pracht,
Und was die Seele mag stärken,
Verträumend die lange Nacht!

Denn eine Zeit wird kommen,
Da macht der Herr ein End,
Da wird den Falschen genommen
Ihr unechtes Regiment.

Denn wie die Erze vom Hammer,
So wird das lockre Geschlecht
Gehaun sein von Not und Jammer
Zu festem Eisen recht.

Da wird Aurora tagen
Hoch über den Wald hinauf,
Da gibt's was zu singen und schlagen.
Da wacht, ihr Getreuen, auf.

An die meisten

1810

Ist denn alles ganz vergebens?
Freiheit, Ruhm und treue Sitte,
Ritterbild des alten Lebens,
Zog im Lied durch eure Mitte
Hohnverlacht als Don Quixote;
Euch deckt Schlaf mit plumper Pfote,
Und die Ehre ist euch Zote.

Ob sich Kampf erneut', vergliche,
Ob sich roh Gebirgsvolk raufe,
Sucht der Klügre Weg' und Schliche,
Wie er nur sein Haus erlaufe.
Ruhet, stützet nur und haltet!
Untersinkt, was ihr gestaltet,
Wenn der Mutterboden spaltet.

Wie so lustig, ihr Poeten,
An den blumenreichen Hagen
In dem Abendgold zu flöten,
Quellen, Nymphen nachzujagen!
Wenn erst mut'ge Schüsse fallen,
Von den schönen Widerhallen
Laßt ihr zart Sonette schallen.

Wohlfeil Ruhm sich zu erringen,
Jeder ängstlich schreibt und treibet;
Keinem möcht' das Herz zerspringen,
Glaubt sich selbst nicht, was er schreibet
Seid ihr Männer, seid ihr Christen?
Glaubt ihr, Gott zu überlisten,
So in Selbstsucht feig zu nisten?

Einen Wald doch kenn' ich droben,
Rauschend mit den grünen Kronen,
Stämme brüderlich verwoben,
Wo das alte Recht mag wohnen.
Manche auf sein Rauschen merken,
Und ein neu Geschlecht wird stärken
Dieser Wald zu deutschen Werken.

Der Jäger Abschied

Wer hat dich, du schöner Wald,
Aufgebaut so hoch da droben?
Wohl den Meister will ich loben,
Solang noch mein Stimm erschallt.
Lebe wohl,
Lebe wohl, du schöner Wald!

Tief die Welt verworren schallt,
Oben einsam Rehe grasen,
Und wir ziehen fort und blasen,
Daß es tausendfach verhallt:
Lebe wohl,
Lebe wohl, du schöner Wald!

Banner, der so kühle wallt!
Unter deinen grünen Wogen
Hast du treu uns auferzogen,
Frommer Sagen Aufenthalt!
Lebe wohl,
Lebe wohl, du schöner Wald!

Was wir still gelobt im Wald,
Wollen's draußen ehrlich halten,
Ewig bleiben treu die Alten:
Deutsch Panier, das rauschend wallt,
Lebe wohl,
Schirm' dich Gott, du schöner Wald!

Entschluß

Gebannt im stillen Kreise sanfter Hügel,
Schlingt sich ein Strom von ewig gleichen Tagen,
Da mag die Brust nicht nach der Ferne fragen,
Und lächelnd senkt die Sehnsucht ihre Flügel.

Viel andre stehen kühn im Rossesbügel,
Des Lebens höchste Güter zu erjagen,
Und was sie wünschen, müssen sie erst wagen,
Ein strenger Geist regiert des Rosses Zügel. –

Was singt ihr lockend so, ihr stillen Matten,
Du Heimat mit den Regenbogenbrücken,
Ihr heitern Bilder, harmlos bunte Spiele?

Mich faßt der Sturm, wild ringen Licht und Schatten,
Durch Wolkenriß bricht flammendes Entzücken –
Nur zu, mein Roß! Wir finden noch zum Ziele!

Aufbruch

Silbern' Ströme ziehn herunter,
Blumen schwanken fern und nah,
Ringsum regt sich's bunt und bunter –
Lenz! Bist du schon wieder da?

»Reiter sind's, die blitzend ziehen,
Wie viel glänz'ger Ströme Lauf,
Fahnen, liliengleich, erblühen,
Lerchenwirbel, Trommelwirbel
Wecken rings den Frühling auf.«

Horch! Was hör' ich draußen klingen
Wild verlockend wie zur Jagd?
Ach, das Herz möcht' mir zerspringen,
Wie es jauchzt und weint und klagt.

»Und in Waldes grünen Hallen,
Tiefe Schauer in der Brust,
Lassen wir die Hörner schallen,
In das Blau die Stimmen hallen,
So zum Schrecken wie zur Lust.«

Wehe! Dunkle Wolken decken
Seh' ich all die junge Pracht,
Feur'ge Todeszungen strecken
Durch die grimme Wetternacht.

»Wettern gleich blüht Kampfesfülle,
Blitze zieht das gute Schwert,
Mancher wird auf ewig stille –
Herrgott, es gescheh' Dein Wille!
Blast Trompeten! Frisch, mein Pferd!«

Regenbogen seh' ich steigen,
Wie von Tränen sprühn die Au,
Jenen sich erbarmend neigen
Über den verweinten Gau.

»Also über Graus und Wogen
Hat der Vater gnadenreich
Ein Triumphtor still gezogen.
Wer da fällt, zieht durch den Bogen
Heim ins ew'ge Himmelreich.«

Auf der Feldwacht

Mein Gewehr im Arme steh' ich
Hier verloren auf der Wacht,
Still nach jener Gegend seh' ich,
Hab' so oft dahin gedacht!

Fernher Abendglocken klingen
Durch die schöne Einsamkeit;
So, wenn wir zusammen gingen,
Hört' ich's oft in alter Zeit.

Wolken da wie Türme prangen,
Als säh' ich im Duft mein Wien,
Und die Donau hell ergangen
Zwischen Burgen durch das Grün.

Doch wie fern sind Strom und Türme!
Wer da wohnt, denkt mein noch kaum,
Herbstlich rauschen schon die Stürme,
Und ich stehe wie im Traum.

An die Lützowschen Jäger

Wunderliche Spießgesellen,
Denkt ihr noch an mich,
Wie wir an der Elbe Wellen
Lagen brüderlich?

Wie wir in des Spreewalds Hallen,
Schauer in der Brust,
Hell die Hörner ließen schallen
So zu Schreck wie Lust?

Mancher mußte da hinunter
Unter den Rasen grün,
Und der Krieg und Frühling munter
Gingen über ihn.

Wo wir ruhen, wo wir wohnen:
Jener Waldeshort
Rauscht mit seinen grünen Kronen
Durch mein Leben fort.

Bei Halle

Da steht eine Burg überm Tale
Und schaut in den Strom hinein,
Das ist die fröhliche Saale,
Das ist der Giebichenstein.

Da hab' ich so oft gestanden,
Es blühten Täler und Höhn,
Und seitdem in allen Landen
Sah ich nimmer die Welt so schön!

Durchs Grün da Gesänge schallten,
Von Rossen, zu Lust und Streit,
Schauten viel schlanke Gestalten,
Gleichwie in der Ritterzeit.

Wir waren die fahrenden Ritter,
Eine Burg war noch jedes Haus,
Es schaute durchs Blumengitter
Manch schönes Fräulein heraus.

Das Fräulein ist alt geworden,
Und unter Philistern umher
Zerstreut ist der Ritterorden,
Kennt keiner den andern mehr.

Auf dem verfallenen Schlosse,
Wie der Burggeist, halb im Traum,
Steh' ich jetzt ohne Genossen
Und kenne die Gegend kaum.

Und Lieder und Lust und Schmerzen,
Wie liegen sie nun so weit –
O Jugend, wie tut im Herzen
Mir deine Schönheit so leid.

Vorbei

Das ist der alte Baum nicht mehr,
Der damals hier gestanden,
Auf dem ich gesessen im Blütenmeer
Über den sonnigen Landen.

Das ist der Wald nicht mehr, der sacht
Vom Berge rauschte nieder,
Wenn ich vom Liebchen ritt bei Nacht,
Das Herz voll neuer Lieder.

Das ist nicht mehr das tiefe Tal.
Mit den grasenden Rehen,
In das wir nachts vieltausendmal
Zusammen hinausgesehen. –

Es ist der Baum noch, Tal und Wald,
Die Welt ist jung geblieben,
Du aber wurdest seitdem alt,
Vorbei ist das schöne Lieben.

Das Zaubernetz

Fraue, in den blauen Tagen
Hast ein Netz du ausgehangen,
Zart gewebt aus seidnen Haaren,
Süßen Worten, weißen Armen.

Und die blauen Augen sprachen,
Da ich waldwärts wollte jagen:
»Zieh mir, Schöner, nicht von dannen!«
Ach, da war ich dein Gefangner!

Hörst du nun den Frühling laden?
Jägers Waldhorn geht im Walde,
Lockend grüßen bunte Flaggen,
Nach dem Sänger alle fragen.

Ach, von euch, ihr Frühlingsfahnen,
Kann ich, wie von dir, nicht lassen!
Reisen in den blauen Tagen
Muß der Sänger mit dem Klange.

Flügel hat, den du gefangen –
Alle Schlingen müssen lassen,
Und er wird dir weggetragen,
Wenn die ersten Lerchen sangen.

Liebst du, treu dem alten Sange
Wie dem Sänger, mich wahrhaftig:
Laß dein Schloß, den schönen Garten,
Führ' dich heim in Waldesprachten!

Auf dem Zelter sollst du prangen,
Um die schönen Glieder schlanke
Seide, himmelblau, gespannet,
Als ein süßgeschmückter Knabe.

Und der Jäger sieht uns fahren,
Und er läßt das Wild, das Jagen,
Will nun ewig mit uns wandern
Mit dem frischen Hörnerklange.

Wer von uns verführt den andern,
Ob es deine Augen taten,
Meine Laut, des Jägers Blasen?
Ach, wir können's nicht erraten;

Aber um uns drei zusammen
Wird der Lenz im grünen Walde
Wohl ein Zaubernetze schlagen,
Dem noch keiner je entgangen.

Frühlingsgruß

Es steht ein Berg in Feuer,
In feurigem Morgenbrand,
Und auf des Berges Spitze
Ein Tannbaum überm Land.

Und auf dem höchsten Wipfel
Steh' ich und schau' vom Baum,
O Welt, du schöne Welt, du,
Man sieht dich vor Blüten kaum!

Abendlandschaft

Der Hirt bläst seine Weise,
Von fern ein Schuß noch fällt,
Die Wälder rauschen leise
Und Ströme tief im Feld.

Nur hinter jenem Hügel
Noch spielt der Abendschein –
O hätt' ich, hätt' ich Flügel,
Zu fliegen da hinein!

Mädchenseele

Gar oft schon fühlt' ich's tief, des Mädchens Seele
Wird nicht sich selbst, dem Liebsten nur geboren.
Da irrt sie nun verstoßen und verloren,
Schickt heimlich Blicke schön als Boten aus,
Daß sie auf Erden suchen ihr ein Haus.
Sie schlummert in der Schwüle, leicht bedeckt,
Lächelt im Schlafe, atmet warm und leise,
Doch die Gedanken sind fern auf der Reise,
Und auf den Wangen flattert träumrisch Feuer,
Hebt buhlend oft der Wind den zarten Schleier.
Der Mann, der da zum erstenmal sie weckt,
Zuerst hinunterlangt in diese Stille,
Dem fällt sie um den Hals vor Freude bang
Und läßt ihn nicht mehr all ihr lebelang.

Steckbrief

Grüß' euch aus Herzensgrund:
Zwei Augen hell und rein,
Zwei Röslein auf dem Mund,
Kleid blank aus Sonnenschein!

Nachtigall klagt und weint,
Wollüstig rauscht der Hain,
Alles die Liebste meint:
Wo weilt sie so allein?

Weil's draußen finster war,
Sah ich viel hellern Schein,
Jetzt ist es licht und klar,
Ich muß im Dunkeln sein.

Sonne nicht steigen mag,
Sieht so verschlafen drein,
Wünschet den ganzen Tag,
Daß wieder Nacht möcht' sein.

Liebe geht durch die Luft,
Holt fern die Liebste ein;
Fort über Berg und Kluft!
Und sie wird doch noch mein!

Abendständchen

Schlafe, Liebchen, weil's auf Erden
Nun so still und seltsam wird!
Oben gehn die goldnen Herden,
Für uns alle wacht der Hirt.

In der Ferne ziehn Gewitter;
Einsam auf dem Schifflein schwank,
Greif' ich draußen in die Zither,
Weil mir gar so schwül und bang.

Schlingend sich an Bäum und Zweigen,
In dein stilles Kämmerlein
Wie auf goldnen Leitern steigen
Diese Töne aus und ein.

Und ein wunderschöner Knabe
Schifft hoch über Tal und Kluft,
Rührt mit seinem goldnen Stabe
Säuselnd in der lauen Luft.

Und in wunderbaren Weisen
Singt er ein uraltes Lied,
Das in linden Zauberkreisen
Hinter seinem Schifflein zieht.

Ach, den süßen Klang verführet
Weit der buhlerische Wind,
Und durch Schloß und Wand ihn spüret
Träumend jedes schöne Kind.

Nacht

Überm Land die Sterne
Machen die Runde bei Nacht,
Mein Schatz ist in der Ferne,
Liegt am Feuer auf der Wacht.

Übers Feld bellen Hunde;
Wenn der Mondschein erblich,
Rauscht der Wald auf im Grunde:
Reiter, jetzt hüte dich!

Das Mädchen

Stand ein Mädchen an dem Fenster,
Da es draußen Morgen war,
Kämmte sich die langen Haare,
Wusch sich ihre Äuglein klar.

Sangen Vöglein aller Arten,
Sonnenschein spielt' vor dem Haus,
Draußen überm schönen Garten
Flogen Wolken weit hinaus.

Und sie dehnt' sich in den Morgen,
Als ob sie noch schläfrig sei,
Ach, sie war so voller Sorgen,
Flocht ihr Haar und sang dabei:

Wie ein Vöglein hell und reine,
Ziehet draußen muntre Lieb,
Lockt hinaus zum Sonnenscheine,
Ach, wer da zu Hause blieb'!

Der Gärtner

Wohin ich geh' und schaue,
In Feld und Wald und Tal,
Vom Berg hinab in die Aue:
Viel schöne, hohe Fraue,
Grüß' ich dich tausendmal.

In meinem Garten find' ich
Viel Blumen, schön und fein,
Viel Kränze wohl draus wind' ich,
Und tausend Gedanken bind' ich
Und Grüße mit darein.

Ihr darf ich keinen reichen,
Sie ist zu hoch und schön,
Die müssen alle verbleichen,
Die Liebe nur ohnegleichen
Bleibt ewig im Herzen stehn.

Ich schein' wohl froher Dinge
Und schaffe auf und ab,
Und, ob das Herz zerspringe,
Ich grabe fort und singe
Und grab' mir bald mein Grab.

Der Bote

Am Himmelsgrund schießen
So lustig die Stern,
Dein Schatz läßt dich grüßen
Aus weiter, weiter Fern!

Hat eine Zither gehangen
An der Tür unbeacht't,
Der Wind ist gegangen
Durch die Saiten bei Nacht.

Schwang sich auf dann vom Gitter
Über die Berge, übern Wald –
Mein Herz ist die Zither,
Gibt ein'n fröhlichen Schall.

Der Freiwerber

Frühmorgens durch die Winde kühl
Zwei Ritter hergeritten sind,
Im Garten klingt ihr Saitenspiel,
Wach auf, wach auf, mein schönes Kind!

Ringsum viel Schlösser schimmernd stehn,
So silbern geht der Ströme Lauf,
Hoch, weit rings Lerchenlieder wehn,
Schließ Fenster, Herz und Äuglein auf!

So wie du bist, verschlafen heiß,
Laß allen Putz und Zier zu Haus,
Tritt nur herfür im Hemdlein weiß,
Siehst so gar schön verliebet aus.

Ich hab' einen Fremden wohl bei mir,
Der lauert unten auf der Wacht,
Der bittet schön dich um Quartier,
Verschlafnes Kind, nimm dich in acht!

Die Geniale

Lustig auf den Kopf, mein Liebchen,
Stell dich, in die Luft die Bein!
Heisa! Ich will sein dein Bübchen,
Heute nacht soll Hochzeit sein!

Wenn du Shakespeare kannst vertragen,
O du liebe Unschuld du!
Wirst du mich wohl auch ertragen
Und noch jedermann dazu.

Der verzweifelte Liebhaber

Studieren will nichts bringen,
Mein Rock hält keinen Stich,
Meine Zither will nicht klingen,
Mein Schatz, der mag mich nicht.

Ich wollt', im Grün spazierte
Die allerschönste Frau,
Ich wär' ein Drach und führte
Sie mit mir fort durchs Blau.

Ich wollt', ich jagt' gerüstet
Und legt' die Lanze aus,
Und jagte all Philister
Zur schönen Welt hinaus.

Ich wollt', ich säß' jetzunder
Im Himmel still und weit,
Und früg' nach all dem Plunder
Nichts vor Zufriedenheit.

Die Nachtblume

Nacht ist wie ein stilles Meer,
Lust und Leid und Liebesklagen
Kommen so verworren her
In dem linden Wellenschlagen.

Wünsche wie die Wolken sind,
Schiffen durch die stillen Räume,
Wer erkennt im lauen Wind,
Ob's Gedanken oder Träume? –

Schließ' ich nun auch Herz und Mund,
Die so gern den Sternen klagen:
Leise doch im Herzensgrund
Bleibt das linde Wellenschlagen.

Trauriger Frühling

Mir ist's im Kopf so wüste,
Die Zeit wird mir so lang,
Wie auch der Lenz mich grüßte
Mit Glanz und frischem Klang,
Das Herz bleibt mir so wüste,
Mir ist so sterbensbang.

Viel Vöglein lockend sangen
Im blühenden Revier,
Ich hatt' mir eins gefangen,
Jetzt ist es weit von mir,
Viel Vöglein draußen sangen,
Ach, hätt' ich meins nur hier!

Bei einer Linde

Seh' ich dich wieder, du geliebter Baum,
In dessen junge Triebe
Ich einst in jenes Frühlings schönstem Traum
Den Namen schnitt von meiner ersten Liebe?

Wie anders ist seitdem der Äste Bug,
Verwachsen und verschwunden
Im härtren Stamm der vielgeliebte Zug,
Wie ihre Liebe und die schönen Stunden!

Auch ich seitdem wuchs stille fort, wie du,
Und nichts an mir wollt' weilen,
Doch *meine* Wunde wuchs – und wuchs nicht zu,
Und wird wohl niemals mehr hienieden heilen.

Das zerbrochene Ringlein

In einem kühlen Grunde
Da geht ein Mühlenrad,
Mein Liebste ist verschwunden,
Die dort gewohnet hat.

Sie hat mir Treu versprochen,
Gab mir ein'n Ring dabei,
Sie hat die Treu gebrochen,
Mein Ringlein sprang entzwei.

Ich möcht' als Spielmann reisen
Weit in die Welt hinaus,
Und singen meine Weisen,
Und gehn von Haus zu Haus.

Ich möcht' als Reiter fliegen
Wohl in die blut'ge Schlacht,
Um stille Feuer liegen
Im Feld bei dunkler Nacht.

Hör' ich das Mühlrad gehen:
Ich weiß nicht, was ich will –
Ich möcht' am liebsten sterben,
Da wär's auf einmal still!

Der Wachtturm

Ich sah im Mondschein liegen
Die Felsen und das Meer,
Ich sah ein Schifflein fliegen
Still durch die Nacht daher.

Ein Ritter saß am Steuer,
Ein Fräulein stand an Bord,
Im Winde weht' ihr Schleier,
Die sprachen kein einzig Wort.

Ich sah verfallen grauen
Das hohe Königshaus,
Den König stehn und schauen
Vom Turm ins Meer hinaus.

Und als das Schiff verschwunden,
Er warf seine Krone nach,
Und aus dem tiefen Grunde
Das Meer wehklagend brach.

Das war der kühle Buhle,
Der ihm sein Kind geraubt,
Der König, der verfluchet
Der eignen Tochter Haupt.

Da hat das Meer mit Toben
Verschlungen Ritter und Maid,
Der König starb da droben
In seiner Einsamkeit.

Nun jede Nacht vor Sturme
Das Schiff vorüberzieht,
Der König von dem Turme
Nach seinem Kinde sieht.

Das Ständchen

Auf die Dächer zwischen blassen
Wolken scheint der Mond herfür,
Ein Student dort auf der Gassen
Singt vor seiner Liebsten Tür.

Und die Brunnen rauschen wieder
Durch die stille Einsamkeit,
Und der Wald vom Berge nieder,
Wie in alter, schöner Zeit.

So in meinen jungen Tagen
Hab' ich manche Sommernacht
Auch die Laute hier geschlagen
Und manch lust'ges Lied erdacht.

Aber von der stillen Schwelle
Trugen sie mein Lieb zur Ruh –
Und du, fröhlicher Geselle,
Singe, sing nur immerzu!

Neue Liebe

Herz, mein Herz, warum so fröhlich
So voll Unruh und zerstreut,
Als käm' über Berge selig
Schon die schöne Frühlingszeit?

Weil ein liebes Mädchen wieder
Herzlich an dein Herz sich drückt,
Schaust du fröhlich auf und nieder,
Erd und Himmel dich erquickt.

Und ich hab' die Fenster offen,
Neu zieh' in die Welt hinein
Altes Bangen, altes Hoffen!
Frühling, Frühling soll es sein!

Still kann ich hier nicht mehr bleiben,
Durch die Brust ein Singen irrt,
Doch zu licht ist's mir zum Schreiben,
Und ich bin so froh verwirrt.

Also schlendr' ich durch die Gassen,
Menschen gehen her und hin,
Weiß nicht, was ich tu' und lasse,
Nur, daß ich so glücklich bin.

Frühlingsnacht

Übern Garten durch die Lüfte
Hör' ich Wandervögel ziehn,
Das bedeutet Frühlingsdüfte,
Unten fängt's schon an zu blühn.

Jauchzen möcht' ich, möchte weinen,
Ist mir's doch, als könnt's nicht sein!
Alte Wunder wieder scheinen
Mit dem Mondesglanz herein.

Und der Mond, die Sterne sagen's,
Und in Träumen rauscht's der Hain,
Und die Nachtigallen schlagen's:
Sie ist Deine, sie ist dein!

Glück

Wie jauchzt meine Seele
Und singet in sich!
Kaum, daß ich's verhehle,
So glücklich bin ich.

Rings Menschen sich drehen
Und sprechen gescheut,
Ich kann nichts verstehen,
So fröhlich zerstreut.

Zu eng wird das Zimmer,
Wie glänzet das Feld,
Die Täler voll Schimmer,
Weit herrlich die Welt!

Gepreßt bricht die Freude
Durch Riegel und Schloß,
Fort über die Heide!
Ach, hätt' ich ein Roß!

Und frag' ich und sinn' ich,
Wie *so* mir geschehn?
Mein Liebchen herzinnig,
Das soll ich heut sehn!

Im Abendrot

Wir sind durch Not und Freude
Gegangen Hand in Hand,
Vom Wandern ruhn wir beide
Nun überm stillen Land.

Rings sich die Täler neigen,
Es dunkelt schon die Luft,
Zwei Lerchen nur noch steigen
Nachträumend in den Duft.

Tritt her und laß sie schwirren,
Bald ist es Schlafenszeit,
Daß wir uns nicht verirren
In dieser Einsamkeit.

O weiter, stiller Friede!
So tief im Abendrot
Wie sind wir wandermüde –
Ist das etwa der Tod?

Nachklänge

An meinen Bruder

Gedenkst du noch des Gartens
Und Schlosses überm Wald,
Des träumenden Erwartens:
Ob's denn nicht Frühling bald?

Der Spielmann war gekommen,
Der jeden Lenz singt aus,
Er hat uns mitgenommen
Ins blühende Land hinaus.

Wie sind wir doch im Wandern
Seitdem so weit zerstreut!
Frägt einer nach dem andern,
Doch niemand gibt Bescheid.

Nun steht das Schloß versunken
Im Abendrote tief,
Als ob dort traumestrunken
Der alte Spielmann schlief.

Gestorben sind die Lieben,
Das ist schon lange her,
Die wen'gen, die geblieben,
Sie kennen uns nicht mehr.

Und fremde Leute gehen
Im Garten vor dem Haus –
Doch übern Garten sehen
Nach *uns* die Wipfel aus.

Doch rauscht der Wald im Grunde
Fort durch die Einsamkeit
Und gibt noch immer Kunde
Von unsrer Jugendzeit.

Bald mächt'ger und bald leise
In jeder guten Stund
Geht diese Waldesweise
Mir durch der Seele Grund.

Und stamml' ich auch nur bange,
Ich sing' es, weil ich muß,
Du hörst doch in dem Klange
Den alten Heimatgruß.

Wehmut

Ich irr' in Tal und Hainen
Bei kühler Abendstund,
Ach, weinen möcht' ich, weinen
So recht aus Herzensgrund.

Und alter Zeiten Grüßen
Kam da, im Tal erwacht,
Gleichwie von fernen Flüssen
Das Rauschen durch die Nacht.

Die Sonne ging hinunter,
Da säuselt' kaum die Welt,
Ich blieb noch lange munter
Allein im stillen Feld.

Sonette

1

Es qualmt' der eitle Markt in Staub und Schwüle,
So klanglos öde wallend auf und nieder,
Wie dacht' ich da an meine Berge wieder,
An frischen Sang, Felsquell und Waldeskühle!

Doch steht ein Turm dort über dem Gewühle,
Der andre Zeiten sah und beßre Brüder,
Das Kreuz treu halten seine Riesenglieder,
Wie auch der Menschlein Flut den Fels umspüle.

Das war mein Hafen in der weiten Wüste,
Oft knief' ich betend in des Domes Mitte,
Dort hab' ich dich, mein liebes Kind, gefunden;

Ein Himmelsbote wohl, der so mich grüßte:
»Verzweifle nicht! Die Schönheit und die Sitte,
Sie sind noch von der Erde nicht verschwunden.«

2

Ein alt Gemach voll sinn'ger Seltsamkeiten,
Still Blumen aufgestellt am Fensterbogen,
Gebirg und Länder draußen blau gezogen,
Wo Ströme gehn und Ritter ferne reiten.

Ein Mädchen, schlicht und fromm wie jene Zeiten,
Das, von den Abendscheinen angeflogen,
Versenkt in solcher Stille tiefe Wogen –
Das mocht' auf Bildern oft das Herz mir weiten.

Und nun wollt' wirklich sich das Bild bewegen,
Das Mädchen atmet' auf, reicht aus dem Schweigen
Die Hand mir, daß sie ewig meine bliebe.

Da sah ich draußen auch das Land sich regen,
Die Wälder rauschen und Aurora steigen –
Die alten Zeiten all weckt mir die Liebe.

3

Wenn zwei geschieden sind von Herz und Munde,
Da ziehn Gedanken über Berg und Schlüfte
Wie Tauben säuselnd durch die blauen Lüfte,
Und tragen hin und wieder süße Kunde.

Ich schweif' umsonst, so weit der Erde Runde,
Und stieg' ich hoch auch über alle Klüfte,

Dein Haus ist höher noch als diese Lüfte,
Da reicht kein Laut hin, noch zurück zum Grunde.

Ja, seit du tot – mit seinen blühnden Borden
Wich ringsumher das Leben mir zurücke,
Ein weites Meer, wo keine Bahn zu finden.

Doch ist dein Bild zum Sterne mir geworden,
Der nach der Heimat weist mit stillem Blicke,
Daß fromm der Schiffer streite mit den Winden.

Gute Nacht

Die Höhn und Wälder schon steigen
Immer tiefer ins Abendgold,
Ein Vöglein frägt in den Zweigen:
Ob es Liebchen grüßen sollt'?

O Vöglein, du hast dich betrogen,
Sie wohnet nicht mehr im Tal,
Schwing auf dich zum Himmelsbogen,
Grüß sie droben zum letztenmal!

Am Strom

Der Fluß glitt einsam hin und rauschte,
Wie sonst, noch immer, immerfort,
Ich stand am Strand gelehnt und lauschte,
Ach, was ich liebt', war lange fort!
Kein Laut, kein Windeshauch, kein Singen
Ging durch den weiten Mittag schwül,
Verträumt die stillen Weiden hingen
Hinab bis in die Wellen kühl.

Die waren alle wie Sirenen
Mit feuchtem, langem, grünem Haar,
Und von der alten Zeit voll Sehnen
Sie sangen leis und wunderbar.

Sing, Weide, singe, grüne Weide!
Wie Stimmen aus der Liebsten Grab
Zieht mich dein heimlich Lied voll Leide
Zum Strom von Wehmut mit hinab.

Das kranke Kind

Die Gegend lag so helle,
Die Sonne schien so warm,
Es sonnt sich auf der Schwelle
Ein Kindlein krank und arm.

Geputzt zum Sonntag heute
Ziehn sie das Tal entlang,
Das Kind grüßt alle Leute,
Doch niemand sagt ihm Dank.

Viel Kinder jauchzen ferne,
So schön ist's auf der Welt!
Ging' auch spazieren gerne,
Doch müde stürzt's im Feld.

»Ach, Vater, liebe Mutter,
Helft mir in meiner Not –!«
Du armes Kind, die ruhen
Ja unterm Grase tot.

Und so im Gras alleine
Das kranke Kindlein blieb,
Frug keiner, was es weine,
Hat jeder seins nur lieb.

Die Abendglocken klangen
Schon durch die stille Welt,
Die Engel Gottes sangen
Und gingen übers Feld.

Und als die Nacht gekommen
Und alles das Kind verließ,
Sie haben's mitgenommen,
Nun spielt's im Paradies.

Auf meines Kindes Tod

1

Das Kindlein spielt' draußen im Frühlingsschein,
Und freut' sich und hatte so viel zu sehen,
Wie die Felder schimmern und die Ströme gehen –
Da sah der Abend durch die Bäume herein,
Der alle die schönen Bilder verwirrt.
Und wie es nun ringsum so stille wird,
Beginnt aus den Tälern ein heimlich Singen,
Als wollt's mit Wehmut die Welt umschlingen,
Die Farben vergehn und die Erde wird blaß.
Voll Staunen fragt's Kindlein: »Ach, was ist das?«
Und legt sich träumend ins säuselnde Gras;
Da rühren die Blumen ihm kühle ans Herz
Und lächelnd fühlt es so süßen Schmerz,
Und die Erde, die Mutter, so schön und bleich,
Küßt das Kindlein und läßt's nicht los,
Zieht es herzinnig in ihren Schoß
Und bettet es drunten gar warm und weich,
Still unter Blumen und Moos.

»Und was weint ihr, Vater und Mutter, um mich?
In einem viel schöneren Garten bin ich,
Der ist so groß und weit und wunderbar,
Viel Blumen stehn dort von Golde klar,
Und schöne Kindlein mit Flügeln schwingen
Auf und nieder sich drauf und singen. –
Die kenn' ich gar wohl aus der Frühlingszeit,
Wie sie zogen über Berge und Täler weit
Und mancher mich da aus dem Himmelblau rief,
Wenn ich drunten im Garten schlief. –
Und mitten zwischen den Blumen und Scheinen
Steht die schönste von allen Frauen,
Ein glänzend Kindlein an ihrer Brust. –
Ich kann nicht sprechen und auch nicht weinen,
Nur singen immer und wieder dann schauen
Still vor großer, seliger Lust.«

Als ich nun zum ersten Male
Wieder durch den Garten ging,
Busch und Bächlein in dem Tale
Lustig an zu plaudern fing.

Blumen halbverstohlen blickten
Neckend aus dem Gras heraus,
Bunte Schmetterlinge schickten
Sie sogleich auf Kundschaft aus.

Auch der Kuckuck in den Zweigen
Fand sich bald zum Spielen ein,
Endlich brach der Baum das Schweigen:
»Warum kommst du heut allein?«

Da ich aber schwieg, da rührt' er
Wunderbar sein dunkles Haupt,
Und ein Flüstern konnt' ich spüren
Zwischen Vöglein, Blüt und Laub.

Tränen in dem Grase hingen,
Durch die abendstille Rund
Klagend nun die Quellen gingen,
Und ich weint' aus Herzensgrund.

3

Was ist mir denn so wehe?
Es liegt ja wie im Traum
Der Grund schon, wo ich stehe,
Die Wälder säuseln kaum

Noch von der dunklen Höhe.
Es komme, wie es will,
Was ist mir denn so wehe –
Wie bald wird alles still.

4

Das ist's, was mich ganz verstöret:
Daß die Nacht nicht Ruhe hält,

Wenn zu atmen aufgehöret
Lange schon die müde Welt.

Daß die Glocken, die da schlagen,
Und im Wald der leise Wind
Jede Nacht von neuem klagen
Um mein liebes, süßes Kind.

Daß mein Herz nicht konnte brechen
Bei dem letzten Todeskuß,
Daß ich wie im Wahnsinn sprechen
Nun in irren Liedern muß.

5

Freuden wollt' ich dir bereiten,
Zwischen Kämpfen, Lust und Schmerz
Wollt' ich treulich dich geleiten
Durch das Leben himmelwärts.

Doch du hast's allein gefunden,
Wo kein Vater führen kann,
Durch die ernste, dunkle Stunde
Gingst du schuldlos mir voran.

Wie das Säuseln leiser Schwingen
Draußen über Tal und Kluft
Ging zur selben Stund ein Singen
Ferne durch die stille Luft.

Und so fröhlich glänzt' der Morgen,
's war, als ob das Singen sprach:
»Jetzo lasset alle Sorgen,
Liebt ihr mich, so folgt mir nach!«

6

Ich führt' dich oft spazieren
In Wintereinsamkeit,
Kein Laut ließ sich da spüren,
Du schöne, stille Zeit!

Lenz ist's nun, Lerchen singen
Im Blauen über mir,
Ich weine still – sie bringen
Mir einen Gruß von dir.

7

Die Welt treibt fort ihr Wesen,
Die Leute kommen und gehn,
Als wärst du nie gewesen,
Als wäre nichts geschehn.

Wie sehn' ich mich aufs neue
Hinaus in Wald und Flur!
Ob ich mich gräm', mich freue,
Du bleibst mir treu, Natur.

Da klagt vor tiefem Sehnen
Schluchzend die Nachtigall,
Es schimmern rings von Tränen
Die Blumen überall.

Und über alle Gipfel
Und Blütentäler zieht
Durch stillen Waldes Wipfel
Ein heimlich Klagelied.

Da spür' ich's recht im Herzen,
Daß du's, Herr, draußen bist –
Du weißt's, wie mir von Schmerzen
Mein Herz zerrissen ist!

8

Von fern die Uhren schlagen,
Es ist schon tiefe Nacht,
Die Lampe brennt so düster,
Dein Bettlein ist gemacht.

Die Winde nur noch gehen
Wehklagend um das Haus,
Wir sitzen einsam drinne
Und lauschen oft hinaus.

Es ist, als müßtest leise
Du klopfen an die Tür,
Du hätt'st dich nur verirret,
Und kämst nun müd zurück.

Wir armen, armen Toren!
Wir irren ja im Graus
Des Dunkels noch verloren –
Du fand'st dich längst nach Haus.

9

Dort ist so tiefer Schatten,
Du schläfst in guter Ruh,
Es deckt mit grünen Matten
Der liebe Gott dich zu.

Die alten Weiden neigen
Sich auf dein Bett herein,
Die Vöglein in den Zweigen
Sie singen treu dich ein.

Und wie in goldnen Träumen
Geht linder Frühlingswind
Rings in den stillen Bäumen –
Schlaf wohl mein süßes Kind!

10

Mein liebes Kind, ade!
Ich konnt' ade nicht sagen,
Als sie dich fortgetragen,
Vor tiefem, tiefem Weh.

Jetzt auf lichtgrünem Plan
Stehst du im Myrtenkranze,
Und lächelst aus dem Glanze
Mich still voll Mitleid an.

Und Jahre nahn und gehn,
Wie bald bin ich verstoben –
O bitt' für mich da droben,
Daß wir uns wiedersehn!

Angedenken

Berg und Täler wieder fingen
Ringsumher zu blühen an,
Aus dem Walde hört' ich singen
Einen lust'gen Jägersmann.

Und die Tränen drangen leise:
So einst blüht' es weit und breit,
Als mein Lieb dieselbe Weise
Mich gelehrt vor langer Zeit.

Ach, ein solches Angedenken,
's ist nur eitel Klang und Luft,
Und kann schimmernd doch versenken
Rings in Tränen Tal und Kluft!

In der Fremde

Aus der Heimat, hinter den Blitzen rot,
Da kommen die Wolken her,
Aber Vater und Mutter sind lange tot,
Es kennt mich dort keiner mehr.
Wie bald, wie bald kommt die stille Zeit,
Da ruhe ich auch, und über mir
Rauschet die schöne Waldeinsamkeit.
Und keiner mehr kennt mich auch hier.

Vesper

Die Abendglocken klangen
Schon durch das stille Tal,
Da saßen wir zusammen
Da droben wohl hundertmal.

Und unten war's so stille
Im Lande weit und breit,
Nur über uns die Linde
Rauscht' durch die Einsamkeit.

Was gehn die Glocken heute,
Als ob ich weinen müßt'?
Die Glocken, die bedeuten,
Daß meine Lieb gestorben ist!

Ich wollt', ich läg' begraben
Und über mir rauschte weit
Die Linde jeden Abend
Von der alten, schönen Zeit!

Der alte Garten

Kaiserkron und Päonien rot,
Die müssen verzaubert sein,
Denn Vater und Mutter sind lange tot,
Was blühn sie hier so allein?

Der Springbrunn plaudert noch immerfort
Von der alten schönen Zeit,
Eine Frau sitzt eingeschlafen dort,
Ihre Locken bedecken ihr Kleid.

Sie hat eine Laute in der Hand,
Als ob sie im Schlafe spricht,
Mir ist, als hätt' ich sie sonst gekannt –
Still, geh vorbei und weck sie nicht!

Und wenn es dunkelt das Tal entlang,
Streift sie die Saiten sacht,
Da gibt's einen wunderbaren Klang
Durch den Garten die ganze Nacht.

Nachruf

Du liebe, treue Laute
Wie manche Sommernacht,
Bis daß der Morgen graute,
Hab' ich mit dir durchwacht!

Die Täler wieder nachten,
Kaum spielt noch Abendrot,
Doch die sonst mit uns wachten,
Die liegen lange tot.

Was wollen wir nun singen
Hier in der Einsamkeit,
Wenn alle von uns gingen,
Die unser Lied erfreut?

Wir wollen dennoch singen!
So still ist's auf der Welt;
Wer weiß, die Lieder dringen
Vielleicht zum Sternenzelt.

Wer weiß, die da gestorben,
Sie hören droben mich
Und öffnen leis die Pforten
Und nehmen uns zu sich.

Götterdämmerung

1

Was klingt mir so heiter
Durch Busen und Sinn?
Zu Wolken und weiter,
Wo trägt es mich hin?

Wie auf Bergen hoch bin ich
So einsam gestellt
Und grüße herzinnig,
Was schön auf der Welt.

Ja, Bacchus, dich seh' ich,
Wie göttlich bist du!
Dein Glühen versteh' ich,
Die träumende Ruh.

O rosenbekränztes
Jünglingsbild,
Dein Auge, wie glänzt es,
Die Flammen so mild!

Ist's Liebe, ist's Andacht,
Was so dich beglückt?
Rings Frühling dich anlacht,
Du sinnest entzückt.

Frau Venus, du Frohe,
So klingend und weich,
In Morgenrots Lohe
Erblick' ich dein Reich

Auf sonnigen Hügeln
Wie ein' Zauberring.
Zart Bübchen mit Flügeln
Bedienen dich flink.

Durchsäuseln die Räume
Und laden, was fein,
Als goldene Träume
Zur Königin ein.

Und Ritter und Frauen
Im grünen Revier
Durchschwärmen die Auen
Wie Blumen zur Zier.

Und jeglicher hegt sich
Sein Liebchen im Arm,
So wirrt und bewegt sich
Der selige Schwarm.

Die Klänge verrinnen,
Es bleichet das Grün,
Die Frauen stehn sinnend,
Die Ritter schaun kühn.

Und himmlisches Sehnen
Geht singend durchs Blau,
Da schimmert von Tränen
Rings Garten und Au.

Und mitten im Feste
Erblick' ich, wie mild!
Den stillsten der Gäste.
Woher, einsam Bild?

Mit blühendem Mohne,
Der träumerisch glänzt,
Und mit Lilienkrone
Erscheint er bekränzt.

Sein Mund schwillt zum Küssen
So lieblich und bleich,
Als brächt' er ein Grüßen
Aus himmlischem Reich.

Eine Fackel wohl trägt er,
Die wunderbar prangt.
»Wo ist einer«, frägt er,
»Den heimwärts verlangt?«

Und manchmal da drehet
Die Fackel er um –
Tiefschauernd vergehet
Die Welt und wird stumm.

Und was hier versunken
Als Blumen zum Spiel,
Siehst oben du funkeln
Als Sterne nun kühl.

O Jüngling vom Himmel,
Wie bist du so schön!
Ich laß das Gewimmel,
Mit dir will ich gehn!

Was will ich noch hoffen?
Hinauf, ach hinauf!
Der Himmel ist offen,
Nimm, Vater, mich auf!

2

Von kühnen Wunderbildern
Ein großer Trümmerhauf,
In reizendem Verwildern
Ein blühnder Garten drauf;

Versunknes Reich zu Füßen,
Vom Himmel fern und nah,
Aus anderm Reich ein Grüßen –
Das ist Italia!

Wenn Frühlingslüfte wehen
Hold übern grünen Plan,
Ein leises Auferstehen
Hebt in den Tälern an.

Da will sich's unten rühren
Im stillen Göttergrab,
Der Mensch kann's schauernd spüren
Tief in die Brust hinab.

Verwirrend in den Bäumen
Gehn Stimmen hin und her,
Ein sehnsuchtsvolles Träumen
Weht übers blaue Meer.

Und unterm duft'gen Schleier,
Sooft der Lenz erwacht,
Webt in geheimer Feier
Die alte Zaubermacht.

Frau Venus hört das Locken,
Der Vögel heitern Chor,
Und richtet froh erschrocken
Aus Blumen sich empor.

Sie sucht die alten Stellen,
Das luft'ge Säulenhaus,
Schaut lächelnd in die Wellen
Der Frühlingsluft hinaus.

Doch öd sind nun die Stellen,
Stumm liegt ihr Säulenhaus,
Gras wächst da auf den Schwellen,
Der Wind zieht ein und aus.

Wo sind nun die Gespielen?
Diana schläft im Wald,
Neptunus ruht im kühlen
Meerschloß, das einsam hallt.

Zuweilen nur Sirenen
Noch tauchen aus dem Grund
Und tun in irren Tönen
Die tiefe Wehmut kund.

Sie selbst muß sinnend stehen
So bleich im Frühlingsschein,
Die Augen untergehen,
Der schöne Leib wird Stein.

Denn über Land und Wogen
Erscheint, so still und mild,
Hoch auf dem Regenbogen
Ein andres Frauenbild.

Ein Kindlein in den Armen
Die Wunderbare hält,
Und himmlisches Erbarmen
Durchdringt die ganze Welt.

Da in den lichten Räumen
Erwacht das Menschenkind
Und schüttelt böses Träumen
Von seinem Haupt geschwind.

Und, wie die Lerche singend,
Aus schwülen Zaubers Kluft
Erhebt die Seele ringend
Sich in die Morgenluft.

Mariä Sehnsucht

Es ging Maria in den Morgen hinein,
Tat die Erd einen lichten Liebesschein,
Und über die fröhlichen, grünen Höhn
Sah sie den bläulichen Himmel stehn.
»Ach, hätt' ich ein Brautkleid von Himmelsschein,
Zwei goldene Flüglein – wie flög' ich hinein!«

Es ging Maria in stiller Nacht,
Die Erde schlief, der Himmel wacht',
Und durchs Herze, wie sie ging und sann und dacht',
Zogen die Sterne mit goldener Pracht.
»Ach, hätt' ich das Brautkleid von Himmelsschein,
Und goldene Sterne gewoben drein!«

Es ging Maria im Garten allein,
Da sangen so lockend bunt Vögelein,
Und Rosen sah sie im Grünen stehn,
Viel rote und weiße so wunderschön.
»Ach, hätt' ich ein Knäblein, so weiß und rot,
Wie wollt' ich's liebhaben bis in den Tod!«

Nun ist wohl das Brautkleid gewoben gar,
Und goldene Sterne im dunkelen Haar,
Und im Arme die Jungfrau das Knäblein hält,
Hoch über der dunkelerbrausenden Welt,
Und vom Kindlein gehet ein Glänzen aus,
Das ruft uns nur ewig: nach Haus, nach Haus!

Mittag

Vergeht mir der Himmel
Vor Staube schier,
Herr, im Getümmel
Zeig Dein Panier!

Wie schwank' ich sündlich,
Läßt Du von mir;
Unüberwindlich
Bin ich mit Dir!

Abend

Gestürzt sind die goldnen Brücken
Und unten und oben so still!
Es will mir nichts mehr glücken,
Ich weiß nicht mehr, was ich will.

Von üppig blühenden Schmerzen
Rauscht eine Wildnis im Grund,
Da spielt wie in wahnsinnigen Scherzen
Das Herz an dem schwindligen Schlund.

Die Felsen möchte ich packen
Vor Zorn und Wehe und Lust
Und unter den brechenden Zacken
Begraben die wilde Brust.

Da kommt der Frühling gegangen,
Wie ein Spielmann aus alter Zeit,
Und singt von uraltem Verlangen
So treu durch die Einsamkeit.

Und über mir Lerchenlieder
Und unter mir Blumen bunt,
So werf' ich im Grase mich nieder
Und weine aus Herzensgrund.

Da fühl' ich ein tiefes Entzücken,
Nun weiß ich wohl, was ich will,
Es bauen sich andere Brücken,
Das Herz wird auf einmal still.

Der Abend streut rosige Flocken,
Verhüllet die Erde nun ganz,
Und durch des Schlummernden Locken
Ziehn Sterne den heiligen Kranz.

Nachtgruß

Weil jetzo alles stille ist
Und alle Menschen schlafen,
Mein Seel das ew'ge Licht begrüßt,
Ruht wie ein Schiff im Hafen.

Der falsche Fleiß, die Eitelkeit,
Was keinen mag erlaben,
Darin der Tag das Herz zerstreut,
Liegt alles tief begraben.

Ein andrer König wunderreich
Mit königlichen Sinnen
Zieht herrlich ein im stillen Reich,
Besteigt die ew'gen Zinnen.

Morgenlied

Kein Stimmlein noch schallt von allen
In frühester Morgenstund,
Wie still ist's noch in den Hallen
Durch den weiten Waldesgrund.

Ich stehe hoch überm Tale
Stille vor großer Lust,
Und schau' nach dem ersten Strahle,
Kühl schauernd in tiefster Brust.

Wie sieht da zu dieser Stunde
So anders das Land herauf,
Nichts hör' ich da in der Runde
Als von fern der Ströme Lauf.

Und ehe sich alle erhoben,
Des Tages Freuden und Weh,
Will ich, Herr Gott, Dich loben
Hier einsam in stiller Höh. –

Nun rauschen schon stärker die Wälder,
Morgenlicht funkelt herauf,
Die Lerche singt über den Feldern,
Schöne Erde, nun wache auf!

Morgengebet

O wunderbares, tiefes Schweigen,
Wie einsam ist's noch auf der Welt!
Die Wälder nur sich leise neigen,
Als ging' der Herr durchs stille Feld.

Ich fühl' mich recht wie neu geschaffen,
Wo ist die Sorge nun und Not?
Was mich noch gestern wollt' erschlaffen,
Ich schäm' mich des im Morgenrot.

Die Welt mit ihrem Gram und Glücke
Will ich, ein Pilger, frohbereit
Betreten nur wie eine Brücke
Zu Dir, Herr, übern Strom der Zeit.

Und buhlt mein Lied, auf Weltgunst lauernd,
Um schnöden Sold der Eitelkeit:
Zerschlag mein Saitenspiel, und schauernd
Schweig' ich vor Dir in Ewigkeit.

Werktag

Wir wandern nun schon viel hundert Jahr
Und kommen doch nicht zur Stelle. –
Der Strom wohl rauscht an die tausend gar
Und kommt doch nicht zur Quelle.

Sonntag

Weit in das Land die Ström' ihr Silber führen,
Fern blau Gebirge duftig hingezogen,
Die Sonne scheint, die Bäume sanft sich rühren,
Und Glockenklang kommt auf den linden Wogen;
Hoch in den Lüften Lerchen jubilieren,
Und, so weit klar sich wölbt des Himmels Bogen,
Von Arbeit ruht der Mensch rings in die Runde,
Atmet zum Herren auf aus Herzensgrunde.

Frühling

Und wenn die Lerche hell anstimmt
Und Frühling rings bricht an:
Da schauert tief und Flügel nimmt,
Wer irgend fliegen kann.

Die Erde grüßt er hochbeglückt,
Die, eine junge Braut,
Mit Blumen wild und bunt geschmückt,
Tief in das Herz ihm schaut.

Den Himmel dann, das blaue Meer
Der Sehnsucht, grüßt er treu,
Da stammen Lied und Sänger her
Und spüren's immer neu.

Die dunkeln Gründe säuseln kaum,
Sie schaun so fremd herauf.
Tiefschauernd fühlt er, 's war ein Traum –
Und wacht im Himmel auf.

Herbst

Es ist nun der Herbst gekommen,
Hat das schöne Sommerkleid
Von den Feldern weggenommen
Und die Blätter ausgestreut,
Vor dem bösen Winterwinde
Deckt er warm und sachte zu
Mit dem bunten Laub die Gründe,
Die schon müde gehn zur Ruh.

Durch die Felder sieht man fahren
Eine wunderschöne Frau,
Und von ihren langen Haaren
Goldne Fäden auf der Au
Spinnet sie und singt im Gehen:
»Eia, meine Blümelein,
Nicht nach andern immer sehen,
Eia, schlafet, schlafet ein.«

Und die Vöglein hoch in Lüften
Über blaue Berg und Seen
Ziehn zur Ferne nach den Klüften,
Wo die hohen Zedern stehn,
Wo mit ihren goldnen Schwingen
Auf des Benedeiten Gruft
Engel Hosianna singen
Nächtens durch die stille Luft.

Winter

Wie von Nacht verhangen,
Wußt' nicht, was ich will,
Schon so lange, lange
War ich totenstill.

Liegt die Welt voll Schmerzen,
Will's auch draußen schnein:
Wache auf, mein Herze,
Frühling muß es sein!

Was mich frech wollt' fassen,
's ist nur Wogenschaum,
Falsche Ehr, Not, Hassen,
Welt, ich spür' dich kaum.

Breite nur die Flügel
Wieder, schönes Roß,
Frei lass' ich die Zügel,
So brich durch, Genoß!

Und hat ausgeklungen
Liebes-Lust und Leid,
Um die wir gerungen
In der schönsten Zeit;

Nun so trag mich weiter,
Wo das Wünschen aus —
Wie wird mir so heiter,
Roß, bring mich nach Haus!

Der Schiffer

Die Lüfte linde fächeln,
Aus stillen Meeres Schaum
Sirenen tauchend lächeln,
Der Schiffer liegt im Traum.

Da faßt der Sturm die Wellen,
Durchwühlt die Einsamkeit:
Wacht auf, ihr Traumgesellen,
Nun ist's nicht Schlafenszeit! —

In jenen stillen Tagen
Wie war ich stolz und klug,
In sichern Glücks Behagen
Mir selber gut genug.

Du hast das Glück zerschlagen;
Nimm wieder, was Du gabst,

Ich schweig' und will nicht klagen,
Jetzt weiß ich, wie Du labst.

Das sind die mächt'gen Stürme,
Die wecken, was da ruht,
Es sinken Land und Türme
Allmählich in die Flut.

Kein Meerweib will sich zeigen,
Kein Laut mehr langt zu mir,
Und in dem weiten Schweigen
Steh' ich allein mit Dir.

O führe an den Riffen
Allmächtig Deine Hand,
Wohin wir alle schiffen,
Uns zu dem Heimatsstrand!

Der Soldat

Und wenn es einst dunkelt,
Der Erd bin ich satt,
Durchs Abendrot funkelt
Eine prächtige Stadt:

Von den goldenen Türmen
Singet der Chor,
Wir aber stürmen
Das himmlische Tor.

Der Wächter

Nächtlich macht der Herr die Rund,
Sucht die Seinen unverdrossen,
Aber überall verschlossen
Trifft er Tür und Herzensgrund,
Und er wendet sich voll Trauer:
»Niemand ist, der mit mir wacht.«

Nur der Wald vernimmt's mit Schauer,
Rauschet fromm die ganze Nacht.

Waldwärts durch die Einsamkeit
Hört' ich über Tal und Klüften
Glocken in den stillen Lüften,
Wie aus fernem Morgen weit –
An die Tore will ich schlagen,
An Palast und Hütten: »Auf!
Flammend schon die Gipfel ragen,
Wachet auf, wacht auf, wacht auf!«

Der Umkehrende

1

Du sollst mich doch nicht fragen,
Duftschwüle Zaubernacht!
Es stehn mit goldnem Prangen
Die Stern' auf stiller Wacht,
Und machen überm Grunde,
Wo du verirret bist,
Getreu die alte Runde –
Gelobt sei Jesus Christ!

Wie bald in allen Bäumen
Geht nun die Morgenluft,
Sie schütteln sich in Träumen,
Und durch den roten Duft
Eine fromme Lerche steiget,
Wenn alles still noch ist,
Den rechten Weg dir zeiget –
Gelobt sei Jesus Christ!

2

Hier bin ich, Herr! Gegrüßt das Licht,
Das durch die stille Schwüle
Der müden Brust gewaltig bricht
Mit seiner strengen Kühle.
Nun bin ich frei! Ich taumle noch

Und kann mich noch nicht fassen –
O Vater, Du erkennst mich doch
Und wirst nicht von mir lassen!

3

Was ich wollte, liegt zerschlagen,
Herr, ich lasse ja das Klagen,
Und das Herz ist still.
Nun aber gib auch Kraft, zu tragen,
Was ich *nicht* will!

4

Es wandelt, was wir schauen,
Tag sinkt ins Abendrot,
Die Lust hat eignes Grauen,
Und alles hat den Tod.

Ins Leben schleicht das Leiden
Sich heimlich wie ein Dieb,
Wir alle müssen scheiden
Von allem, was uns lieb.

Was gäb' es doch auf Erden,
Wer hielt' den Jammer aus,
Wer möcht' geboren werden,
Hieltst Du nicht droben haus!

Du bist's, der, was wir bauen,
Mild über uns zerbricht,
Daß wir den Himmel schauen –
Darum so klag' ich nicht.

5

Waldeinsamkeit!
Du grünes Revier,
Wie liegt so weit
Die Welt von hier!
Schlaf nur, wie bald
Kommt der Abend schön,
Durch den stillen Wald

Die Quellen gehn,
Die Mutter Gottes wacht,
Mit ihrem Sternenkleid
Bedeckt sie dich sacht
In der Waldeinsamkeit,
Gute Nacht, gute Nacht!

Der Kranke

Soll ich dich denn nun verlassen,
Erde, heitres Vaterhaus?
Herzlich Lieben, mutig Hassen,
Ist denn alles, alles aus?

Vor dem Fenster durch die Linden
Spielt es wie ein linder Gruß,
Lüfte, wollt ihr mir verkünden,
Daß ich bald hinunter muß? –

Liebe, ferne, blaue Hügel,
Stiller Fluß im Talesgrün,
Ach, wie oft wünsch' ich mir Flügel,
Über euch hinweg zu ziehn!

Da sich jetzt die Flügel dehnen,
Schaur' ich in mich selbst zurück,
Und ein unbeschreiblich Sehnen
Zieht mich zu der Welt zurück.

Sterbeglocken

Nun legen sich die Wogen,
Und die Gewitter schwül
Sind alle hinabgezogen,
Mir wird das Herz so kühl.

Die Täler alle dunkeln,
Ist denn das Morgenzeit?

Wie schön die Gipfel funkeln,
Und Glocken hör' ich weit.

So hell noch niemals klangen
Sie übern Waldessaum –
Wo war ich denn so lange?
Das war ein schwerer Traum.

Der Einsiedler

Komm, Trost der Welt, du stille Nacht!
Wie steigst du von den Bergen sacht,
Die Lüfte alle schlafen,
Ein Schiffer nur noch, wandermüd,
Singt übers Meer sein Abendlied
Zu Gottes Lob im Hafen.

Die Jahre wie die Wolken gehn
Und lassen mich hier einsam stehn,
Die Welt hat mich vergessen,
Da tratst du wunderbar zu mir,
Wenn ich beim Waldesrauschen hier
Gedankenvoll gesessen.

O Trost der Welt, du stille Nacht!
Der Tag hat mich so müd gemacht,
Das weite Meer schon dunkelt,
Laß ausruhn mich von Lust und Not,
Bis daß das ew'ge Morgenrot
Den stillen Wald durchfunkelt.

Ostern

Vom Münster Trauerglocken klingen,
Vom Tal ein Jauchzen schallt herauf.
Zur Ruh sie dort dem Toten singen,
Die Lerchen jubeln: Wache auf!
Mit Erde sie ihn still bedecken,
Das Grün aus allen Gräbern bricht,

Die Ströme hell durchs Land sich strecken,
Der Wald ernst wie in Träumen spricht,
Und bei den Klängen, Jauchzen, Trauern,
Soweit ins Land man schauen mag,
Es ist ein tiefes Frühlingsschauern
Als wie ein Auferstehungstag.

Weihnachten

Markt und Straßen stehn verlassen,
Still erleuchtet jedes Haus,
Sinnend geh' ich durch die Gassen,
Alles sieht so festlich aus.

An den Fenstern haben Frauen,
Buntes Spielzeug fromm geschmückt,
Tausend Kindlein stehn und schauen,
Sind so wunderstill beglückt.

Und ich wandre aus den Mauern
Bis hinaus ins freie Feld,
Hehres Glänzen, heil'ges Schauern!
Wie so weit und still die Welt!

Sterne hoch die Kreise schlingen,
Aus des Schnees Einsamkeit
Steigt's wie wunderbares Singen –
O du gnadenreiche Zeit.

Abschied

Abendlich schon rauscht der Wald
Aus den tiefen Gründen,
Droben wird der Herr nun bald
An die Sterne zünden,
Wie so stille in den Schlünden,
Abendlich nur rauscht der Wald.

Alles geht zu seiner Ruh,
Wald und Welt versausen,
Schauernd hört der Wandrer zu,
Sehnt sich recht nach Hause,
Hier in Waldes grüner Klause
Herz, geh endlich auch zur Ruh!

Mondnacht

Es war, als hätt' der Himmel
Die Erde still geküßt,
Daß sie im Blütenschimmer
Von ihm nun träumen müßt'.

Die Luft ging durch die Felder,
Die Ähren wogten sacht,
Es rauschten leis die Wälder,
So sternklar war die Nacht.

Und meine Seele spannte
Weit ihre Flügel aus,
Flog durch die stillen Lande,
Als flöge sie nach Haus.

Nachtlied

Vergangen ist der lichte Tag,
Von ferne kommt der Glocken Schlag;
So reist die Zeit die ganze Nacht,
Nimmt manchen mit, der's nicht gedacht.

Wo ist nun hin die bunte Lust,
Des Freundes Trost und treue Brust,
Des Weibes süßer Augenschein?
Will keiner mit mir munter sein?

Da's nun so stille auf der Welt,
Ziehn Wolken einsam übers Feld,

Und Feld und Baum besprechen sich –
O Menschenkind, was schauert dich?

Wie weit die falsche Welt auch sei,
Bleibt mir doch Einer nur getreu,
Der mit mir weint, der mit mir wacht,
Wenn ich nur recht an ihn gedacht.

Frisch auf denn, liebe Nachtigall,
Du Wasserfall mit hellem Schall!
Gott loben wollen wir vereint,
Bis daß der lichte Morgen scheint!

Stimmen der Nacht

1

Weit tiefe, bleiche, stille Felder –
O wie mich das freut,
Über alle, alle Täler, Wälder
Die prächtige Einsamkeit!

Aus der Stadt nur schlagen die Glocken
Über die Wipfel herein,
Ein Reh hebt den Kopf erschrocken
Und schlummert gleich wieder ein.

Der Wald aber rühret die Wipfel
Im Schlaf von der Felsenwand,
Denn der Herr geht über die Gipfel
Und segnet das stille Land.

2

Nächtlich wandern alle Flüsse,
Und der Himmel, Stern auf Stern,
Sendet so viel tausend Grüße,
Daß die Wälder nah und fern
Schauernd rauschen in den Gründen;
Nur der Mensch, dem Tod geweiht,
Träumet fort von seinen Sünden
In der stillen Gnadenzeit.

Herbstweh

1

So still in den Feldern allen,
Der Garten ist lange verblüht,
Man hört nur flüsternd die Blätter fallen,
Die Erde schläfert – ich bin so müd.

2

Es schüttelt die welken Blätter der Wald,
Mich friert, ich bin schon alt,
Bald kommt der Winter und fällt der Schnee,
Bedeckt den Garten und mich und alles, alles Weh.

Winternacht

Verschneit liegt rings die ganze Welt,
Ich hab' nichts, was mich freuet,
Verlassen steht der Baum im Feld,
Hat längst sein Laub verstreuet.

Der Wind nur geht bei stiller Nacht
Und rüttelt an dem Baume.
Da rührt er seinen Wipfel sacht
Und redet wie im Traume.

Er träumt von künft'ger Frühlingszeit,
Von Grün und Quellenrauschen,
Wo er im neuen Blütenkleid
Zu Gottes Lob wird rauschen.

Kurze Fahrt

Posthorn, wie so keck und fröhlich
Brachst du einst den Morgen an,
Vor mir lag's so frühlingsselig,
Daß ich still auf Lieder sann.

Dunkel rauscht es schon im Walde,
Wie so abendkühl wird's hier,
Schwager, stoß ins Horn – wie balde
Sind auch wir im Nachtquartier!

So oder so

Die handeln und die dichten,
Das ist der Lebenslauf,
Der eine macht Geschichten,
Der andre schreibt sie auf,
Und der will beide richten;
So schreibt und treibt sich's fort,
Der Herr wird alles schlichten,
Verloren ist kein Wort.

Todeslust

Bevor er in die blaue Flut gesunken,
Träumt noch der Schwan und singet todestrunken;
Die sommermüde Erde im Verblühen
Läßt all ihr Feuer in den Trauben glühen;
Die Sonne, Funken sprühend, im Versinken,
Gibt noch einmal der Erde Glut zu trinken,
Bis, Stern auf Stern, die Trunkne zu umfangen,
Die wunderbare Nacht ist aufgegangen.

Mahnung

Genug gemeistert nun die Weltgeschichte!
Die Sterne, die durch alle Zeiten tagen,
Ihr wolltet sie mit frecher Hand zerschlagen
Und jeder leuchten mit dem eignen Lichte.

Doch unaufhaltsam rucken die Gewichte,
Von selbst die Glocken von den Türmen schlagen,
Der alte Zeiger, ohne euch zu fragen,
Weist flammend auf die Stunde der Gerichte.

O stille Schauer, wunderbares Schweigen,
Wenn heimlichflüsternd sich die Wälder neigen,
Die Täler alle geisterbleich versanken,

Und in Gewittern von den Bergesspitzen
Der Herr die Weltgeschichte schreibt mit Blitzen
Denn Seine sind nicht euere Gedanken.

Im Alter

Wie wird nun alles so stille wieder!
So war mir's oft in der Kinderzeit,
Die Bäche gehen rauschend nieder
Durch die dämmernde Einsamkeit,
Kaum noch hört man einen Hirten singen,
Aus allen Dörfern, Schluchten, weit
Die Abendglocken herüberklingen,
Versunken nun mit Lust und Leid
Die Täler, die noch einmal blitzen,
Nur hinter dem stillen Walde weit
Noch Abendröte an den Bergesspitzen,
Wie Morgenrot der Ewigkeit.

Memento mori

Schnapp Austern, Dukaten,
Mußt dennoch sterben!
Dann tafeln die Maden
Und lachen die Erben.

Durch!

Ein Adler saß am Felsenbogen,
Den lockt' der Sturm weit übers Meer,
Da hatt' er droben sich verflogen,
Er fand sein Felsennest nicht mehr.
Tief unten sah er kaum noch liegen
Verdämmernd Wald und Land und Meer,
Mußt' höher, immer höher fliegen,
Ob nicht der Himmel offen wär'.

Alphabetisches Verzeichnis
der Anfänge und Überschriften der Gedichte

Nachwort

HELMUT KOOPMANN

JOSEPH VON EICHENDORFF

Seine Romane und Novellen durchzieht ein Zug stets fröhlicher
Gesellen, die Abenteuer auf Abenteuer erleben, ohne daß sie die
Lust daran verlören, und die sich in Räumen und Landschaften bewegen, die sich immer und überall aufs Verblüffendste zu gleichen
scheinen. Mit funkelnden Augen springen sie in Wagen und rasseln
durch stille Tore ins Freie hinaus; sie reisen wohlgemut und ohne
Sorgen über die grüne Erde, die »unbegrenzten Augen« erquicken
sich am blauen Himmel, an Wald und Fels. Seitwärts neben den
Straßen rauschen verworren Flüsse; früh erwachte Lerchen singen
schon hoch in den Lüften ihr endloses Lied, aus der Ferne grüßen
alte Burgen und ewige Felder. Die Sonne geht prächtig über ihnen
auf und scheint bald warm über die dampfende Erde, Bäume, Gras
und Blumen äugeln dazwischen mit blitzenden Tropfen; laue Luft
umschließt alles. Kommen die fröhlichen Gesellen in eine Stadt, so
rauschen dort unfehlbar alte Brunnen mit zierlichem Gitterwerk,
Blumenbeete duften lieblich, eine Wasserkunst plätschert dazwischen. Prächtige Karossen rasseln durch das Gewirr der Gassen, von
allen Türmen läutet es, daß die Klänge in dem Gewühl wunderbar
in der klaren Luft durcheinanderhallen. Um die Mittagszeit beginnt
es schwül zu werden; die Straßen sind auf einmal wie ausgestorben,
die Häuser werfen breite Schatten, Sonnenstrahlen schießen wie
sengende Pfeile auf das Pflaster, und über allem ist ein tiefblauer,
ganz wolkenloser Himmel. Später jedoch, am Abend, wenn die
untergehende Sonne ihre hohen Widerscheine zwischen die dunklen
Schatten und über die alten Gemäuer wirft, freut man sich wieder
der klaren, stillen Luft; Lieder klingen durch den schönen Abend,
die Wasserkunst im Garten rauscht noch immer fort. Prächtig scheinen die Sterne am Firmament, alles ist vom Mondschein wie versilbert. Schließlich werden die Plätze einsam, einzelne Gitarrenklänge finden noch durch die stille Nacht; die Täler sind wie be-
glänzt. Am Ende sind die Lichter verlöscht, alles ist leer geworden
und totenstill. Ein leichter Wind geht rauschend durch die Wipfel
der einsamen Gärten, hin und wieder nur bellen Hunde aus ent-

fernteren Dörfern über die stillen Wälder. Dann aber kommt ein neuer Morgen herauf, blitzend und funkelnd, die Landschaften strahlen erneut in zauberischem Glanz zu den Fenstern hinauf, die Sonne steigt erneut über die Dächer, blaue Türme einer Residenz werden wiederum sichtbar, ein blitzender Strom zieht auch diesmal in der Ferne vorüber. Es wiederholt sich ein Tag, der dem vorherigen zum Verwechseln ähnlich ist, und diesem zweiten folgen noch viele andere, in denen der kühle Morgenwind die Schlummernden weckt, Düfte aus den Feldern, Kräutern und Bäumen steigen und Aurora erneut hoch über den Wäldern und Städten steht. Eichendorff-Leser werden sich dieser Wendungen erinnern. Sie finden sich überall.

Die fröhlichen Gesellen, die sich durch diese Welt bewegen, haben, so scheint es, ewige Vakanz. Sie wohnen in Schlössern oder reisen herum. Sie folgen fast ziellos den Flußläufen oder werden in fremde Gegenden und Länder verschlagen. Sie fallen in Schlösser ein und brechen so unvermutet auf, wie sie angekommen sind. In den Residenzen geben sie immer nur Gastrollen, in den Redoutensälen sind sie Fremde. Sie lieben dagegen die ländlichen Schlösser, auf die sie auf ihren Reisen immer noch rechtzeitig genug stoßen, die großen Gärten, die immer ein wenig verwildert sind. Sie finden sich mit ihresgleichen schnell zusammen; selten nur reist man allein, meist zu zweit oder in kleinen Gruppen. Sie führen ein völlig sorgloses Leben, sie malen oder dichten (wenn sie überhaupt etwas tun), sie jagen oder sinnen auch nur einfach vor sich hin. So abenteuern sie sich durch die Tage, eine alterslose Gesellschaft lustiger Vagabunden und unbeschwerter Dilettanten. Ihr beliebtestes Ziel ist Italien und Rom insbesondere; sie verstehen die Kunst des Parlando wie kaum etwas anderes, aber sie sind in allen Reit- und Jagdkünsten nicht weniger beschlagen. Reiche Grafen und arme Landgrafen sind gleichermaßen vergnügt. Reisen ist jedermanns höchste Lust, und der frönen sie bis zum Exzeß. »Der Abend funkelte über die Felder, eine Reisekutsche fuhr rasch die glänzende Straße entlang, der Staub wirbelte, der Postillion blies, hinten auf dem Wagentritte aber stand vergnügt ein junger Bursch, der im Wandern aufgestiegen, bald auf den Zehen lang gestreckt, bald sich duckend, damit die im Wagen ihn nicht bemerkten. Und hinter ihm ging die Sonne unter und vor ihm der Mond auf, und manchmal, wenn der Wald sich teilte, sah er von ferne Fenster glitzern im Abendgold, dann einen Turm zwischen den Wipfeln und weiße Schornsteine und Dächer immer mehr und mehr, es mußte eine Stadt ganz in der Nähe sein. Da zog er geschwind die Ärmel seines Rockes tiefer über die Handgelenke, denn er hatte ihn ausgewachsen, auch war derselbe etwas dünn und spannte über dem Rücken. Im Walde neben ihm aber war ein großes Gefunkel und Zwitschern und Hämmern von den Spechten, bald da, bald dort, als wollten sie ihn necken, und die Eichkätzchen guckten um die Stämme nach ihm, und die Schwalben kreuzten jauchzend über den Weg: ›Kiwitt, Kiwitt, was hat dein Rock für einen schönen Schnitt!‹« – So geht es wie im Fluge fort, allmählich wird es dunkel, die Abendglocken klingen schon deutlich über den Wald. Wer reist da so konvenabel durch die Welt? Nein, es ist nicht der Taugenichts, der hier eine billige Passage zum schönen Wien gefunden hat, weil er sein Steuereinnehmerdasein leid geworden ist. Es ist vielmehr der Herr Klarinett, dem der Postillion schließlich mit der Peitsche vom Rückbrett helfen wird und dem Herr Klarinett durch einen Sprung in einen Apfelbaum gerade noch rechtzeitig entkommt. Aber diese Sätze könnten tatsächlich ebenso im *Taugenichts* stehen oder in nahezu jeder anderen Erzählung Eichendorffs. Denn die Kulisse scheint überall gleich und überall gleich farbig und unbeschwert, gleich anmutig und lieblich, gleich unbestimmt und dennoch gleich einzigartig, oder, um es mit einem Wort zu sagen, gleich romantisch.

So hat man Eichendorff wieder und wieder gelesen, und es gibt gewichtige Stimmen, die sich gerade für diesen Romantiker Eichendorff eingesetzt haben. Schon Heinrich Heine hat ihn zu Uhland gestellt und bei ihm eine sogar noch grünere Waldesfrische und kristallhaftere Wahrheit entdeckt. Fontane hat im *Taugenichts* die Naivität eines Märchens gesehen und jene »einzig dastehende Arbeit des liebenswürdigen Schlesiers« hoch gepriesen. Hofmannsthal, der Eichendorff in vielem so verwandt erscheint, hat in Eichendorff »das Beglänzte, Traumüberhangene, das Schweifende, mit Lust Unmündige« gerühmt. Für Max Kommerell war Eichendorff »wirklich das Kind, das die Weise der Natur auf seinen Lippen trägt«. Thomas Mann fand in Eichendorff »eine betörende Essenz der Romantik«, im Taugenichts »ein Gotteskind, dem es der Herr im Schlafe gibt«. Bergengruen pries den unverlöschlichen Glanz der Eichendorffschen Naturdichtungen, die suggestive Verzauberung seiner Beschreibungen, die Idealität der Landschaftsschilderungen, in der die Flüsse, die Eichendorff nenne, Donau, Rhein, Neckar, Saale, Loire, identische Flüsse seien – »romantische Flüsse, durch Wald-, Felsen-, Weingelände rauschend«. Eichendorff habe sie, so meinte Bergengruen, nirgendwo anders als in seinem Herzen gefunden – »und ehe er sich's versah, standen sie auch vor seinen und des Lesers Augen«. Er war, so liest man es immer wieder, der letzte Ritter der Romantik, dessen Gedichte, Erzählungen und Romane Dokumente einer Epoche sind, die mit ihm endgültig endete. Und manchem Eichendorff-Leser mag jene Passage am Schluß von *Dichter und ihre Gesellen* von eigentümlicher Doppelsinnigkeit erschienen sein, nicht nur als Hinweis auf das tatsächlich erreichte Ende des Romans, sondern zugleich als Bekenntnis des Wissens um die Endzeit derart romantischer Romane überhaupt, wenn er las: »Und so sehen wir denn die rüstigen Gesellen auf verschiedenen Wegen das Gebirge langsam hinabreiten, und eine tiefe Wehmut befällt uns unter den leise rauschenden Bäumen, da uns alle die lieben, langgewohnten Stimmen nach und nach verhallen, wie wenn wir im Herbst die bunten Wandervögel über uns fortziehen hören.« Die bunten Wandervögel der Romantik waren für viele auch mit Eichendorff selbst fortgezogen. Er scheint einer der letzten Hohepriester des romantischen Kultus gewesen zu sein, einer, nach dem nichts Phantastisches mehr kam, sondern nur noch biederes 19. Jahrhundert. Eichendorff ist immer wieder als Spätromantiker gewürdigt worden, in dem sich die romantische Welt noch einmal in all ihrem Zauber darstellte, mit ihrem fast hochmütigen Hinwegsehen über die krude Wirklichkeit, über die harten Bedingungen und engen Möglichkeiten dieser Welt. Das Idol des anderen, romantischen Daseins war Eichendorffs Taugenichts, der sich durchmusizierende, stets fröhliche Vagabund, ein unbekümmertes Gegenbild zum biblischen verlorenen Sohn, ein Hans im Glück, der es den Vögeln gleichtat, die er in der ewig schönen Frühlingszeit stolz und lustig von den Bäumen rufen hörte. »Mir war es wie ein ewiger Sonntag im Gemüte«, bekennt der Taugenichts offen seinem Leser – und sein Leser war ihm in der Regel schon deswegen über die Maßen gewogen. Verdruß kennt der Taugenichts nicht. »Ich ging in mein Gärtchen und riß hastig alles Unkraut von den Beeten und warf es hoch über meinen Kopf weg in die schimmernde Luft, als zög' ich alle Übel und Melancholie mit der Wurzel heraus«, berichtet der ungelernte Gärtner von sich. Wer hätte es ihm nicht wenigstens in Gedanken nachtun mögen?

Eichendorff selbst scheint mit seinem ganzen Dasein dieser Interpretation allerdings nur zu sehr Vorschub geleistet zu haben, wenn auch sein Leben, oder besser: gerade weil sein Leben so außerordentlich unromantisch verlief. Am 10. März 1788 auf Schloß Lubowitz in Schlesien geboren, begann er nach einer glücklichen Kindheit mit seinem Bruder Wilhelm 1805 sein Studium in Halle, das er 1807 in Heidelberg fortsetzte. Er lernte dort zwar eine Romantik kennen, die von Achim von Arnim und Clemens Brentano geprägt wurde; damals erschien gerade die Einsiedlerzeitung, »eigentlich ein Programm der Romantik«, wie Eichendorff noch in seinen Erinnerungen meinte, und damals wurde auch für *Des Knaben Wunderhorn* gesammelt. Aber das alles hat Eichendorff nicht sonderlich berührt; er hat zur Heidelberger Romantik eher ein kühles und distanziertes Verhältnis gehabt. Viel wichtiger war für ihn der Einfluß von Joseph Görres, dessen Gewalt er später noch als »unglaublich« beschrieb und den er einen einsiedlerischen Zauberer nannte, Himmel und Erde, Vergangenheit und Zukunft mit seinen magischen Kreisen umschreibend. Nicht zuletzt mag dessen Wirkung auf Eichendorff so bedeutsam geworden sein, weil für ihn die Heidelberger Romantik schon in jenen Jahren so fragwürdig war. Denn sie war für Eichendorff eine Schule, »die schon damals in überkünstlichen Formen üppig zu luxurieren anfing«. Und sie erstarrte schon in dieser Zeit gelegentlich, wie Eichendorff es nannte, in einem »sehr bedenklichen Afterkultus«, dessen Zeremonienmeister der Graf Otto Heinrich von Loeben war. Eichendorff sah hinter der mystischen Überschwenglichkeit und der unglaublichen Formengewandtheit die fehlende Substanz sehr deutlich, und so war Loeben für ihn im Grunde genommen bereits »die erstaunlichste Karikatur der Romantik«.

Eichendorff verließ Heidelberg überdies bald wieder. 1808 mußten die beiden Brüder dem Vater, der in wirtschaftliche Schwierigkeiten geraten war, als »Ökonomen« beistehen. 1810 folgte ein Studienaufenthalt in Wien, aber mit genaueren beruflichen Absichten und ebenfalls ohne größere romantische Seitensprünge: Joseph von Eichendorff absolvierte die juristische Referendarprüfung, und wenn er dort auch Friedrich und Dorothea Schlegel kennenlernte, so waren es doch so wenig wie in Heidelberg romantische Jahre, die er in Wien verbrachte. Eichendorff blieb auch nicht lange dort, denn von 1813 bis 1816 nahm er an den Freiheitskriegen teil – eine für ihn persönlich verwirrende, höchst unruhige Zeit. Als er zurückkehrte, begann für ihn dann der vollends ernsthafte Referendardienst bei der Breslauer Regierung, ab 1820 seine Tätigkeit als Regierungsrat in Danzig; und obwohl er es 1824 immerhin zum Oberpräsidenten in Königsberg brachte, versuchte er, von dort wieder wegzukommen; von 1831 an war er in Berlin am Kultusministerium. 1844 endete dann sein fast dreißigjähriges Beamtendasein, das er im ganzen nur als lästig empfunden hat. Eichendorff wohnte danach in Wien, Danzig, Berlin, Dresden, schließlich in Neiße; am 26. November 1857 starb er, fast siebzigjährig, nachdem er ein Leben geführt hatte, das tatsächlich alles andere als typisch romantisch gewesen war. Seine bürgerliche Existenz war eher das Dasein eines Pechvogels, sein beruflicher Erfolg mäßig, die Unzufriedenheit über seinen Status als Beamter permanent, auch wenn sie nicht permanent in Erscheinung trat. Eichendorff hat ein Novellenfragment *Unstern* hinterlassen, in dem von Ähnlichem die Rede ist. Zwar ist dort alles ins Komisch-Humoristische gewendet. »Ich habe in der Tat überall unmenschliches Glück«, beschreibt der Unstern sein Los. »Im entscheidenden Moment überrumpelt mich jedesmal unwiderstehlich hinreißend mein poetisches oder vielmehr tiefhumoristisches Naturell, das immer zur Unzeit schlagend gegen jederlei verdrehte und versteckte Affektation der Welt heiter wütend, plötzlich unversehens und fast jauchzend ausbricht, (. . .) so daß mir jedesmal (. . .) Fortunas Haarzopf im letzten Moment wieder entwischt.« So hält er am Grabe eines verdienten Rates, der sich an Austern totgegessen hat, voller Widerwillen gegen die üblichen »entsetzlichen Floskeln und Lobhudeleien« eine humoristische Rede, in der er das Leben des Verstorbenen mit einer stillen Auster vergleicht, die ruhig in sich saugt, mit dem Erfolg, daß ihm die ganze prächtige Anstellung an der Nase vorbeigeht. Das ist ein Einfall, der des komischen Genies eines Jean Paul würdig gewesen wäre. Aber verborgen blickt durch die komische Maske doch Eichendorff selbst, der in seinem grauen Amtsdasein mit seinen wiederholten Fehlschlägen etwas Ähnliches sehen mußte wie sein tragikomischer Held, der Unstern. Und eben dieses sein Leben scheint so bar jeder Romantik zu sein, daß der Schluß naheliegt, Eichendorff habe in seinen Dichtungen das beschrieben, was er nicht leben konnte – und tatsächlich hat man deren Kraft nicht selten aus dem Kontrast zur eigenen Wirklichkeit Eichendorffs erklärt. Man hat seine Dichtung sogar als Flucht aus der Misere seines bürgerlichen, allzu bürgerlichen Daseins interpretiert und in der poetisch-verzauberten Welt seiner Taugenichtse, wie sie auch heißen mögen, einen Gegenentwurf zu seiner allzu grauen Beamtenexistenz sehen wollen – so, als habe er dort gelebt, was ihm hier versagt geblieben sei.

Aber derartige Überlegungen sind voreilig und fragwürdig, weil Eichendorff nicht aus dem Kontrast des bürgerlichen Beamten zur unbürgerlichen Taugenichtswelt dichtete. Eichendorffs lyrische und erzählerische Produktion speist sich nicht von dorther, und Eichendorff hat auch nicht erst in Heidelberg, Berlin oder Wien eine Romantik entdeckt, die ohnehin schon in ihre Spätphase eingetreten war. In Eichendorffs Dichtung spiegelt sich deutlicher als alles andere die Welt seiner Kindheit und frühen Jugend, die Welt eines rustikalen, ein wenig unzeitgemäßen 18. Jahrhunderts, in dem man höchst unbekümmert dahinlebte, die Älteren in steifer Graziosität, die Jüngeren in fröhlicher Selbstverständlichkeit. Alles war damals schon ein wenig verfallen, die Schloßgärten bereits verwildert, Dächer und Türme der Schlösser mit Efeu überwachsen; aber auf den kleinen Landsitzen hauste eine noch unbekümmerte Gesellschaft in schon fast großväterlicher Konventionalität. So lebt sie in vielen seiner Erzählungen, so lebte sie wohl auch in Wirklichkeit in der oberschlesischen Einsamkeit. »Der Abend senkte sich schon über der fruchtbaren Landschaft (. . .), als ein junger Mann, jagdmüde und mit der Büchse über dem Rücken aus dem Walde tretend, unerwartet zwischen den grünen Bergen in der schönsten Einsamkeit ein altes Schloß erblickte. Er konnte durch die Wipfel nur erst Dach und Türme sehen, von Efeu überwachsen, mit geschlossenen Fenstern, halb wie im Schlafe. Neugierig drang er durch das verworrene Gebüsch die Anhöhe hinan, es schien der ehemalige Schloßgarten zu sein, denn künstliche Hecken durchschnitten oben den Platz, weiterhin schimmerte noch eine weiße Statue durch die Zweige, aber rings aus den Tälern ging der Frühling, mit Waldblumen funkelnd, lustig über die gezirkelten Beete und Gänge, alles prächtig verwildernd.« So ähnlich könnte sich, ein wenig idealisiert, einem neugierigen Besucher auch Schloß Lubowitz präsentiert haben, wie wir es aus zeitgenössischen Aquarellen kennen. Nur der (hier ausgelassene) Hinweis auf die Loire zeigt, daß wir uns auf romanischem Grund bewegen – streichen wir die Loire, bewegen wir uns in Eichendorffs Kindheit, die, ein wenig verschönt, in seinem lyrisch-erzählerischen Werk so unverkennbar überall wiederkehrt. Und diese Welt ist in ihrer dichterischen Verwandlung so stereotyp, zeitlos und überall lokalisierbar, weil sie eine erinnerte Welt ist – oder sagen wir es genauer: eine zum Ideal stilisierte Kindheitswelt, die ihre unverwechselbare Einmaligkeit in der Retrospektive längst verlor und die andererseits diese Einmaligkeit doch in allen Ausformungen so unverkennbar bewahren konnte. Die Erinnerung hat sie reduziert auf wenige Charakteristika; die aber kehren überall und immer wieder. So lesen wir etwa in einer autobiographischen Skizze über dieses Kindheits-Lubowitz: »Das uralte Lubowitz – Lage des Schlosses und Gartens, Hasengarten, Tafelzimmer und so weiter mit Spieluhr, Allee, Buxbaumgänge, Kaiserkronen, Nelken und so weiter. Aussicht über die Oder nach den blauen Karpaten und in die dunklen Wälder links. – Damalige Zeit und Stilleben. Wie der Papa im Garten ruhig spazieren geht, der Großpapa mit keinem König tauschen möchte . . .« Spieluhr, Allee, Buxbaumgänge, Kaiserkronen – das alles taucht mannigfach bei Eichendorff wieder auf und staffiert die Wirklichkeit seiner Dichtungen aus.

Eichendorff ist in Lubowitz in ländlicher, fast insularer Abgeschiedenheit aufgewachsen, aber um so nachhaltiger hat seine Kindheit ihre prägenden Spuren in seinem ganzen späteren Dasein hinterlassen. Man kann sie gar nicht überschätzen. Wir sind über sie durch Eichendorffs Tagebuch aus unmittelbarster Nähe unterrichtet, das Seite um Seite sein Dasein von damals getreulich registriert – die kleinen ländlichen Feste, die gesellige Umgebung, die bescheidenen Freuden einer im ganzen sehr ungezwungenen und glücklichen Kindheit, wie er und sein von ihm sehr geliebter Bruder Wilhelm sie erlebten. Diese Kindheit, Wissen um sie und die Erinnerung an sie, bleibt eine Konstante bei Eichendorff, und er ist auch später nicht müde geworden, sie immer wieder zu beschwören. Sie spiegelt sich schon, noch um etliches verschönt und geradezu zierlich aufgeputzt, in charakteristischen Passagen seines während und kurz nach den Befreiungskriegen entstandenen ersten Romans *Ahnung und Gegenwart*, nicht nur in dem Sinne, daß bestimmte Figuren seines Romans mit Gestalten aus Eichendorffs Kindheit identisch sind (»Victor« ist der Lubowitzer Kaplan Ciupke, der in den Tagebüchern so häufig auftaucht), sondern auch insofern, als die Wirklichkeit der schlesischen Schlösser von damals unverblümt deutlich in die Romanwirklichkeit eingegangen ist. »Als sie auf dem Schlosse angekommen waren, wurden geschwind noch einige Musikanten, so gut sie hier zu bekommen waren, zusammengebracht, und man tanzte bis zur einbrechenden Nacht«, heißt es in seinem Roman. Und dann folgt eine Schilderung der ländlichen Tanzfeste, wie der junge Eichendorff sie oft miterlebt haben mußte. »Am liebenswürdigsten aber waren sie unstreitig auf ihren Winterbällen, die die Nachbarn auf ihren verschneiten Landsitzen wechselweise einander ausrichteten. Hier zeigte es sich, wie wenig Apparat zur Lust gehört, die überall am liebsten improvisiert sein will und jetzt so häufig von lauter Anstalten dazu erdrückt wird. Das größte, schnell ausgeräumte Wohnzimmer mit oft bedrohlich elastischem Fußboden stellte den Saal vor, der Schulmeister mit seiner Bande das Orchester, wenige Lichter in den verschiedenartigsten Leuchtern warfen eine ungewisse Dämmerung in die entfernteren Winkel umher (...) Dabei schwirrten die Geigen und schmetterten die Trompeten und klirrten unaufhörlich die Gläser im Nebengemach (. . .) Und zuletzt dann noch auf der nächtlichen Heimfahrt durch die gespensterhafte Stille der Winterlandschaft unter dem klaren Sternenhimmel das selige Nachträumen der schönen Kinder.« Das steht in *Der Adel und die Revolution,* jenem Abschnitt der nie zu Ende geführten Memoiren Eichendorffs, in dem das Erlebnis dieser Kindheit noch einmal aus der Retrospektive erscheint. Aber ähnlich könnte es sich auch in *Ahnung und Gegenwart* finden und findet es sich dort auch, und Ähnliches lesen wir in Abbreviaturen, wie sie für Eichendorffs Diarium charakteristisch sind, in eben jenem Tagebuch, das schon das Kind begann und das uns seine Jugend so charakteristisch überliefert. Das läßt interessante Rückschlüsse zu auf die freie Konvertibilität der Schilderungen aus seiner Kindheit zwischen Tagebuch, Roman und Lebensbericht. Doch für uns ist zunächst einmal wichtiger, daß wir es hier, im Erlebnis der eigenen Jugend, gleichsam mit einer Initialerfahrung zu tun haben, die für alle seine späteren dichterischen Darstellungen hochbedeutsam wurde. Diese Kindheit ist erlebte Romantik oder, um es ein wenig genauer zu benennen: ein verspätetes Rokoko, das aber damals, um 1800 und bis 1810, auf Schloß Lubowitz und in seiner Umgebung durchaus noch lebendig war. Es kehrt in geradezu verblüffender Einförmigkeit in Eichendorffs Lyrik ebenso wieder wie in seinen Erzählungen und Romanen.

Freilich handelt es sich hier nicht um den unreflektierten, bloß literarischen Reflex einer glücklichen Kindheit und einer heimatlichen Landschaft und Umgebung, und unsere Einsicht in die glückliche Kindheit als Initialerlebnis Eichendorffs bedarf einer unbedingt notwendigen Erweiterung, die zugleich eine Einschränkung ist. Eichendorff hat zwar seine Jugend als ein wirklich glückseliges Arkadien erfahren. Aber er hat zugleich schon früh gewußt oder doch jedenfalls geahnt, daß diese schöne Zeit von unaufhaltsamem Verlust, von rettungslosem Verfall und Niedergang bedroht war. Sie hatte sich zwar in der verborgenen Abgeschiedenheit der schlesischen Landgüter noch bewahren können. Aber Eichendorff spürte bereits damals, daß die Tage der Herrlichkeit von Lubowitz gezählt waren – oder vielleicht genauer: daß seine glückliche Kindheit nun unaufhaltsam verlorengehen mußte. Und das zeigt erst den eigentlichen, wahren Eichendorff. Schon das Tagebuch spiegelt das in aller Deutlichkeit. »Bangigkeit nach der schönen Vergangenheit«, notierte Eichendorff am 18. Januar 1804. Damit war in erster Linie allerdings nur ein »nahes Examen« gemeint. Aber insgeheim ist diese »Bangigkeit nach der schönen Vergangenheit« die Angst vor dem unaufhaltsamen Verlust der schönen Zeit, die unwiderruflich Vergangenheit wurde. »Ein quälendes Erwachen«, schrieb er am 20. April 1805, als er mit seinem Bruder Wilhelm Lubowitz verließ, um seine Studien zu beginnen. »Traurig öffneten sich meine Blicke zum letztenmale allen den umgebenden Schönheiten Lubowitzens, um sie anderthalb Jahre lang desto schmerzlicher zu vermissen. – Um 8 Uhr war der allgemeine Aufbruch von Lubowitz. Auf einem Berge am letzten Dorfe vor *Stöblau* trennten wir uns endlich auch vom Papa, der uns mit dem H. *Kaplan* bis dorthin begleitet hatte. Nach diesem düstern Augenblicke setzten wir allein mit der Mama, die uns bis *Breslau* begleitete, mit traurigem Herzen unsere Reise fort.« Noch war es freilich nur ein Abschied auf Zeit, die Rückkehr nach anderthalb Jahren gesichert. Sie hat Wilhelm so enthusiastisch beschrieben, wie Joseph über die damalige Abreise bedrückt war. »Von Krappitz fuhren wir den andern Morgen zeitig früh mit dem uns erwartenden Vorspann ab; das Herz pochte uns immer mehr, je näher wir *Lubowitz* kamen. Schon sahen wir linker Hand den *Annaberg* in trübe Nebel gehüllt, es begann zu regnen, die Luft war kühl, in unserm Innern aber brannte ein Feuer, das nicht zu verlöschen war. Als wir *Stöblau* vorbei waren, sahen wir schon immer, ob wir den Papa nicht würden erblicken können, aber umsonst. Wir fuhren durch Lohnau hindurch in Richtung zu *Blazeowitz* und sahen ihn noch nicht; hier stiegen wir ab, um den schlimmen Weg den Berg hinan zu Fuß zu gehen. Als wir ihn zur Hälfte erstiegen, siehe! Da standen oben auf dem Gipfel die weißen Pferde, und der Papa kam uns schon entgegen. Ich hätte mögen umsinken vor lauter Freude.« Aber bezeichnenderweise ist es keine unmittelbare Tagebuchniederschrift, sondern später notiert, »geschrieben in dem kleinen blauen Stübchen in der Vorstadt zu Heidelberg am Neckar (...) Just da es jährig war, daß wir aus Halle nach Schlesien reisten«. Und besser noch als diese nüchterne Datierung zeigt der Schluß des vorhergehenden, ebenfalls später von Wilhelm verfaßten Tagesberichtes, wie es um das Kindheitsparadies schon bestellt war: »Nach einem Jahre ergreife ich die Feder um (130 Meilen aus meinem Vaterlande entfernt) Nachrichten nachzuholen, welche unsern ersten Antritt in unsre liebe Heimat enthalten. Kommt liebliche Erinnerungen zurück, und ergötzt noch einmal wie die verlorne Wirklichkeit den Verlassenen. –! ah! Tempo felice, perche fugge tu cosi rapido?« Verlorene Wirklichkeit! Sie war schon damals verloren. Aber in Eichendorffs Dichtung hat sie sich bewahrt, und er ist nicht müde geworden, sie immer wieder neu zu verherrlichen.

> Mein Gott, Dir sag' ich Dank,
> Daß Du die Jugend mir bis über alle Wipfel
> In Morgenrot getaucht und Klang,
> Und auf des Lebens Gipfel,
> Bevor der Tag geendet,
> Vom Herzen unbewacht
> Den falschen Glanz gewendet,
> Daß ich nicht taumle ruhmgeblendet,
> Da nun herein die Nacht
> Dunkelt in ernster Pracht.

So lautet das Gedicht *Dank*. Es handelt in gleicher Deutlichkeit von Eichendorffs unvergleichlicher Erfahrung seiner Präexistenz, die ihm ein goldenes Zeitalter ohne alle Betrübnis war. In anderen Gedichten hat Eichendorff davon gesprochen, daß er »dieses Bannes zauberisches Ringen« nimmer entfliehen könne, und er hat in einem Gedicht an seinen Bruder nur zu deutlich Schloß und Garten von Lubowitz als seine »alte, schöne Zeit« beschworen.

Eben darin begründet sich das »Romantische« bei Eichendorff. Es ist nicht anempfunden oder angelesen, sondern als Kindheit erlebt. Aber man läse Eichendorff unter allen Umständen falsch, sähe man in ihm einen unproblematischen Verherrlicher dieser seiner privaten Vorzeit. Gewiß, Eichendorff hat sie immer wieder beschworen, in oft betörend schönen Versen, und die glanzvolle Heiterkeit seiner Landschaftsbilder und die Darstellungen fröhlichsten, ungezwungensten Landlebens prägen seine Dichtung so sehr, daß man darin nur zu häufig das Entscheidende und für Eichendorff Charakteristische gesehen hat. Aber Eichendorff war nicht mehr der unbeschwerte romantische Sänger, als der er in schlechten Literaturgeschichten dargestellt zu sein pflegt. Vielmehr entwickelte sich die glanzvolle Heiterkeit seiner dichterischen Produktionen vor einem nichts weniger als heiteren Hintergrund. Und wenn wir eben festgestellt haben, daß nicht die wenigen Jahre in Heidelberg, Berlin oder Wien, nicht seine ohnehin nicht sonderlich intensiven Kontakte mit anderen

Romantikern ihn geprägt haben, sondern seine im ganzen so glückliche Kindheit und Jugend das Initialerlebnis Eichendorffs war, so muß hinzugefügt werden, daß diese seine Kindheit nicht einfach nur als solche in seinen Dichtungen wiederkehrt. Die Erinnerung an die glückliche Vorzeit ist vielmehr gebrochen durch das Wissen um ihren unwiderruflichen Verlust, und dieses Wissen ist bei Eichendorff so alt wie das Bewußtsein von der Herrlichkeit des Vorzeitparadieses.

Dieses Wissen um die Endlichkeit der unendlichen romantischen Landschaft, um die enge temporäre Begrenztheit des Kindheits- und Jugendparadieses spiegelt sich in Eichendorffs Dichtung als Wissen um die verlorene »alte, schöne Zeit« in mannigfacher Brechung – man wird sagen dürfen, daß überhaupt die Dissonanz zwischen schönerer Vorzeit und arm gewordener Gegenwart eine Dominante in Eichendorffs Dichtung abgibt. Derartige Rückerinnerungen sind immer wieder schon in den Roman eingestreut, der als Eichendorffs erzählerischer Erstling zwischen 1813 und 1815 zeitnäher und unter zeitnäheren Bedingungen als alles andere entstanden ist. »Springe nicht aus dem Garten«, wird darin die Gräfin Romana kurz vor ihrem Tode von ihrer Mutter ermahnt. »Er ist fromm und zierlich umsäumt mit Rosen, Lilien und Rosmarin. Die Sonne scheint gar lieblich darauf, und lichtglänzende Kinder sehen dir von ferne zu und wollen dort zwischen den Blumenbeeten mit dir spazieren gehen. Denn du sollst mehr Gnade erfahren und mehr göttliche Pracht überschauen als andere. Und eben, weil du oft fröhlich und kühn sein wirst und Flügel haben, so bitte ich dich: Springe niemals aus dem stillen Garten!« Romana beherzigt freilich die Mahnung der sterbenden Mutter nicht und singt in ihrem Lied ihr »Und ich mag mich nicht bewahren«. Daß sie jedoch aus der Spannung zu ihrer Kindheit lebt, ist ebenso deutlich wie bei Friedrich und seinem Bruder Rudolf. Im 1819 gedruckten *Marmorbild* erscheint Florio das marmorne Venusbild »wie eine Wunderblume, aus der Frühlingsdämmerung und träumerischen Stille seiner frühesten Jugend heraufgewachsen«. Als er sich später, »in Erinnerungen verloren«, seiner entschwundenen Kindheit erinnert, der alten Bilder, die er an schwülen Nachmittagen in dem einsamen Lusthaus des Gartens betrachtete, so kommt ihm alles nachträglich vor »wie ein Meer von Stille, in dem das Herz vor Wehmut untergehen möchte«. Und selbst dem Taugenichts der 1826 abgeschlossenen Erzählung, diesem lustigsten und freiesten aller Eichendorffschen Gesellen, denen fast immer wie »ewiger Sonntag« im Gemüte ist – selbst ihm fällt zuweilen »die schöne alte Zeit mit solcher Gewalt aufs Herz«, daß er, wie er bekennt, »bitterlich hätte weinen mögen«. Er erinnert sich an den stillen Garten vor dem Schloß in früher Morgenstunde »und wie ich da hinter dem Strauch so glückselig war«; und wie er mittags in der »plötzlichen Einsamkeit« der großen stillen Stadt einschlummert, träumt ihm, er läge bei seinem Dorfe »auf einer einsamen, grünen Wiese, ein warmer Sommerregen sprühte und glänzte in der Sonne, die soeben hinter den Bergen unterging, und wie die Regentropfen auf den Rasen fielen, waren es lauter schöne, bunte Blumen«. Und so erinnern sie sich fast alle schmerzlich oder wehmütig der vergangenen »schönen Zeit«, setzen das bessere Einst gegen das ernüchternde Jetzt. In *Viel Lärmen um Nichts* (1832) ist es der Erzähler selbst, der jene schöne alte Zeit noch einmal erinnernd beschwört: »Schöne, fröhliche Jugendzeit, was tauchst du wie ein wunderbares Land im Traume wieder vor mir auf! Die Morgenglocken tönen von neuem durch die weite Stille, es ist, als hört’ ich Gottes leisen Tritt in den Fluren, und ferne Schlösser erst und Burgen hängen glühend über dem Zauberduft. Wer ahnt, was das geheimnisvolle Rauschen der verträumten Wälder mir verkünden will?« Und kurz darauf singt Julie ihr Lied:

> Aus der Heimat hinter den Blitzen rot
> Da kommen die Wolken her,
> Aber Vater und Mutter sind lange tot,
> Es kennt mich dort keiner mehr.

Auch in Eichendorffs zweitem Roman, in *Dichter und ihre Gesellen* (1834), beschwört der Erzähler die »schöne, stille Zeit, du liebste Heimatgegend mit deinen frischen Morgen und mittagschwülen Tälern, und ihr rüstigen, nun nach allen Weltgegenden hin zerstreuten Jugendgesellen, die damals von den Bergen so ernst und fröhlich mit mir in das Leben hinausgesehen – ich grüß’ euch alle aus Herzensgrund! Denn alles wird mir wieder lebendig hier auf den kühlen Waldbergen ...« Und wenn es von Fortunat im Verlauf des Romans heißt: »Eine tiefe Wehmut flog dabei durch Fortunats Seele: es waren noch immer dieselben Lieder, die er damals hier gesungen und gedichtet – so lange hatten sie nachgeklungen in dieser Einsamkeit«, dann wissen wir, daß dieses »damals« für vieles steht: für das vergangene Schöne, für Kindheit, Jugend und Geborgenheit, für wirklich Verlorenes und nur erinnert Bewahrtes. Die dichterischen Gestalten Eichendorffs fühlen deutlich die Spannung zwischen Früherem und Gegenwärtigem, und es zeigt sich, daß die Grunderfahrung der Eichendorffschen Figuren die *Zeit* ist, das Wissen um deren Fluß und ihre alles verändernde Kraft. Auch in Eichendorffs Erzählung *Das Schloß Dürande* (1837) verhält es Gabriele bei dem Klang von Waldhörnern »fast den Atem vor Erinnerung an die alte, schöne Zeit«, denkt Renald sich »die verlorne Gabriele wieder in der alten unschuldigen Zeit als Kind mit den langen dunkeln Locken«, singt er »verwirrt vor sich hin«, halb wie im Wahnsinn:

> Meine Schwester, die spielt an der Linde. –
> Stille Zeit, wie so weit, so weit!
> Da spielten so schöne Kinder
> Mit ihr in der Einsamkeit.
>
> Von ihren Locken verhangen,
> Schlief sie und lachte im Traum,
> Und die schönen Kinder sangen
> Die ganze Nacht unterm Baum.
>
> Die ganze Nacht hat gelogen,
> Sie hat mich so falsch gegrüßt,
> Die Engel sind fortgeflogen
> Und Haus und Garten stehn wüst. (...)

Am sinnfälligsten aber tritt die »schöne alte Zeit« wohl in *Die Entführung* (1839) in das Bewußtsein einer Eichendorffschen Figur. Diana, die auf einer Jagd selbst zum Wild geworden ist, flüchtet sich in ein Schloß, wo sie als Kind gelebt. »Diana, fast betroffen oben im Saale umherblickend, öffnete rasch ein Fenster, da rauschten von allen Seiten die Wälder über den stillen Garten herauf, daß ihr das Herz wuchs. Mein Gott, dachte sie, wo bin ich denn so lange gewesen!« Als sie am nächsten Morgen eine kindliche Stimme lieblich singen hört, fliegt »eine plötzliche Erinnerung durch ihre Seele, wie einzelne Klänge eines verlorenen Liedes«. Und als sie in den verwilderten Garten tritt, in dem nur noch einige Päonien verloren im tiefen Schatten glühen, fällt ihr ein Lied ein:

> Kaiserkron' und Päonien rot,
> Die müssen verzaubert sein,
> Denn Vater und Mutter sind lange tot,
> Was blühn sie hier so allein?

Diana gehört zu den »verwilderten« Figuren in Eichendorffs Dichtungen, in denen eben deswegen die Erinnerung an die »alte, schöne Zeit« besonders mächtig ist und die die Dissonanzen zwischen dem schönen Einst und dem unglücklichen Jetzt am stärksten spüren.

Die Romantik Eichendorffs hat also einen dunklen Untergrund. Die arkadischen Landschaften, die ewige Bläue des Himmels, die prächtigen Sonnenaufgänge, die verwunschenen Schlösser, die heiteren Wanderungen und Lebensfahrten sind wirklich nur der Vordergrund, hinter dem Angst, Unmut, Trauer über den Verlust dieser anmutigen Welt, Wissen um ihre rasche Vergänglichkeit, um die Geschichtlichkeit auch des scheinbar ganz Ungeschichtlichen nur wenig verschleiert verborgen sind. Die schöne Welt Eichendorffs ist permanent bedroht von Verfall, Untergang und Vergessen, und die Eichendorffschen Figuren wissen fast alle darum; und nicht selten werden sie sich der Schönheit ihrer Welt erst bewußt, wenn diese Welt längst versunken ist und nur noch erinnernd vergegenwärtigt werden kann. Die schöne Welt ist schöner Schein; und nichts erleben die Eichendorffschen Figuren intensiver als das.

Die Romantik ist nicht nur im erzählerischen Werk derart gebrochen; die Lyrik durchzieht eine ähnliche Dichotomie, und wir dürfen darin wohl den besten Beweis dafür sehen, daß wir es bei dieser besonderen Form der Romantik nicht bloß mit einer erzählerischen Fiktion zu tun haben, mit einem poetischen Spiel ohne weitere Verbindlichkeit und Relevanz, sondern mit Eichendorffs persönlichem und ureigenstem Problem, das seine gesamte dichtende Existenz höchst unmittelbar betraf. Gewiß ist für Eichendorff ein Gedicht typisch wie *Frische Fahrt*:

> Laue Luft kommt blau geflossen,
> Frühling, Frühling soll es sein!
> Waldwärts Hörnerklang geschossen,
> Mut'ger Augen lichter Schein;
> Und das Wirren bunt und bunter
> Wird ein magisch wilder Fluß,
> In die schöne Welt hinunter
> Lockt dich dieses Stromes Gruß.

In der folgenden Strophe findet sich dann der Satz: »Und ich mag mich nicht bewahren!« als entschlossenes Bekenntnis zur Entgrenzung –

Fahre zu! Ich mag nicht fragen,
Wo die Fahrt zu Ende geht!

Aber diesem Wanderlied stehen andere entgegen, die ungleich zwielichtiger sind – *Zwielicht* ist bezeichnenderweise eines der pessimistischsten überschrieben – und die die Dämonie der Vergänglichkeit aufs Unerbittlichste festhalten wie etwa jenes kleine Gedicht *Im Walde*:

Es zog eine Hochzeit den Berg entlang,
Ich hörte die Vögel schlagen,
Da blitzten viel' Reiter, das Waldhorn klang,
Das war ein lustiges Jagen!

Und eh' ich's gedacht, war alles verhallt,
Die Nacht bedecket die Runde,
Nur von den Bergen noch rauschet der Wald,
Und mich schauert im Herzensgrunde.

Es gibt zahlreiche ähnliche Verse – *Rückkehr, Nachts, Jahrmarkt, In der Fremde, Der irre Spielmann, Letzte Heimkehr, Die zwei Gesellen, Das Bilderbuch, Wehmut, Jugendsehnen,* das ist eine verschwindend kleine Auswahl aus verwandten Gedichten. Wir kennen Strophen von Eichendorff mit der bezeichnenden Überschrift *Der Verirrte,* in denen er sich unverhohlen mit dem Spielmann des Gedichtes identifiziert –

Vor dem Schloß in den Bäumen es rauschend weht,
Unter den Fenstern ein Spielmann geht,
Mit irren Tönen verlockend den Sinn –
Der Spielmann aber ich selber bin.

Vorüber jag' ich an manchem Schloß,
Die Locken zerwühlet, verwildert das Roß,
Du frommes Kindlein im stillen Haus,
Schau nicht nach mir zum Fenster hinaus.

Das Gedicht geht noch weiter, bis zum »Lebt wohl, und fragt nicht, wohin es geht«, aber die ersten beiden Strophen zeigen genug. Der arme Spielmann mit seinen irren Liedern, mit irrem Gesang – diese Figur kehrt öfters wieder in Eichendorffs lyrischem Werk, und weil es Eichendorffs lyrisches Ich ist, das da spricht, dürfen wir annehmen, daß er sich tatsächlich so verstand und so richtiger verstand als dort, wo von fröhlichen Sängern die Sprache ist. »Mein irres Singen hier / Ist wie ein Rufen nur aus Träumen« – das ist Eichendorffs eigentlicheres lyrisches Bekenntnis.

Es findet sich in vielen seiner Gedichte in mehr oder weniger verschleierter Form wieder. Die plötzliche Ernüchterung, der unvermittelte und doch unabweisbare Gedanke an Abschied, Tod, Vergessen prägt viele Wanderlieder so gut wie viele Romanzen, und selbst ein Lied wie *O Täler weit, o Höhen, o schöner, grüner Wald,* das sicherlich zu den bekanntesten zählt, handelt schließlich vom Abschied, von des Lebens Schauspiel auf buntbewegten Gassen. Das Leben ein Traum: das könnte ein Eichendorffscher Titel sein, wie kaum ein anderer würde er auf das Sängerleben passen. Vom Verträumen der Zeit ist in mehr als einem Gedicht die Rede – »Wie schön, hier zu verträumen / Die Nacht im stillen Wald«, ist ein sehr charakteristischer Gedichteingang. *Täuschung* heißt ein Gedicht, in dem wiederum vom Ausruhen nach dem Wandern die Rede ist. Der Wanderer sieht »fern im Lande« im Schein des aufgehenden Mondes »Der alten Tiber Lauf, / Im Walde lagen Trümmer, / Paläste auf stillen Höh'n«. Es ist das schöne Welschland, das er erblickt, und er erblickt es so deutlich, daß er am Morgen einen Hirten fragt, ob er noch heute nach Rom komme. Der freilich entgegnet ein »Ihr seid nicht recht gescheut« – und tatsächlich, »es war ja alles nur Traum«. Das ist eine lyrische Kontrafaktur zum Rom-Erlebnis des Taugenichts; eine träumerische Wirklichkeit hier wie dort. Das ganze herrliche Sängerleben scheint nichts als ein Traum zu sein, die heitere Welt der Jäger, Hirten und Dichter eine schöne Phantasmagorie. Aber überall ist sie nur möglich als Entwurf eines vielfach bedrohten, irrenden Ich. Der Dichter ist kein ewiger Taugenichts; er ist sein Gegenbild. »Will erquickt nun alles prangen, / Irrt der Dichter durch die Schatten, / Durch die blumenreichen Matten, / Denkt der Zeiten, die vergangen«: das ist auch des Dichters Eichendorff eigentliches Bekenntnis. Eichendorff ist alles andere als der fröhliche Sänger berückender oder auch nur sehr volkstümlicher Waldlieder. Er ist vielmehr ein unsteter, verstohlener Gast in dieser seiner eigenen Welt, einer, der sich ihr eigentlich nicht zugehörig weiß, weil er im Schatten steht – um alles wissend, doch nirgendwo beheimatet. Hofmannsthals Bild vom Dichter, wie er es 1907 in seinem Essay *Der Dichter und diese Zeit* entwarf, trifft in Umkehr der Chronologie besser Eichendorffs Poetenexistenz, als Eichendorff das selbst hätte zu sagen vermocht: »So ist der Dichter da, wo er nicht da zu sein scheint, und ist immer an einer anderen Stelle, als er vermeint wird. Seltsam wohnt er im Haus der Zeit, unter der Stiege, wo alle an ihm vorüber müssen und keiner ihn achtet. Gleicht er nicht dem fürstlichen Pilger aus der alten Legende, dem auferlegt war, sein fürstliches Haus und Frau und Kinder zu lassen und nach dem Heiligen Lande zu ziehen; und er kehrte wieder, aber ehe er die Schwelle betrat, wurde ihm auferlegt, nun als ein unerkannter Bettler sein eigenes Haus zu betreten und zu wohnen, wo das Gesinde ihn wiese. Das Gesinde wies ihn unter die Treppe, wo nachts der Platz der Hunde ist. Dort haust er und hört und sieht seine Frau und seine Brüder und seine Kinder, wie sie die Treppe auf und nieder steigen, wie sie von ihm als einem Verschwundenen, wohl gar einem Toten sprechen und um ihn trauern. Aber ihm ist auferlegt, sich nicht zu erkennen zu geben, und so wohnt er unerkannt unter der Stiege seines eigenen Hauses.« So ist auch Eichendorff ein Fremdling in seiner Welt, ein Verschlagener und Herumirrender in seiner Zeit. Friedrich in *Ahnung und Gegenwart* ist sein Selbstporträt – aber nicht weniger porträtiert er sich in seinem lyrischen Werk in Zeilen, die vielleicht weniger bekannt sein mögen, die aber nichtsdestoweniger seine eigentliche Wirklichkeit schildern.

> Lange durch die Welt getrieben
> Hat mich nun die irre Hast,
> Immer doch bin ich geblieben
> Nur ein ungeschickter Gast.
>
> Überall zu spät zum Schmause
> Kam ich, wenn die andern voll,
> Trank die Neigen vor dem Hause,
> Wußt' nicht, wem ich's trinken soll.
>
> Mußt' mich vor Fortuna bücken
> Ehrfurchtsvoll bis auf die Zeh'n,
> Vornehm wandt' sie mir den Rücken,
> Ließ mich so gebogen stehn

– das sind Strophen aus Eichendorffs *Umkehr*, deren innere Verwandtschaft mit Hofmannsthals Worten sofort einleuchtet. Eichendorffs dichterisches Selbstverständnis widerspricht nur zu oft seinen fröhlichen Waldliedern, der glückhaften Poetenexistenz der von ihm gedichteten Gestalten. In Wirklichkeit ist das Sängerleben ein höchst problematisches Dasein. Zeilen wie »Ich stehe in Waldesschatten / Wie an des Lebens Rand, / Die Länder wie dämmernde Matten, / Der Strom wie ein silbern Band« sind hintergründiger, als es der flüchtige Leser vermeint. Denn an des Lebens Rand hat der Dichter Eichendorff immer gestanden, seit er Lubowitz verließ – und wir wissen ja nun, für was dieses Lubowitz alles steht. Er hat es sich gewiß dichterisch bewahrt. Aber bewahrt hat sich auch das Wissen darum, seiner nicht mehr teilhaftig zu sein. Nichts ist dafür bezeichnender als sein Gedicht *Eldorado*:

> Es ist von Klang und Düften
> Ein wunderbarer Ort,
> Umrankt von stillen Klüften,
> Wir alle spielten dort.
>
> Wir alle sind verirret
> Seitdem so weit hinaus,
> Unkraut die Welt verwirret,
> Find't keiner mehr nach Haus.
>
> Doch manchmal taucht's aus Träumen,
> Als läg' es weit im Meer,
> Und früh noch in den Bäumen
> Rauscht's wie ein Grüßen her. (. . .)

Der irrende Dichter: das ist der aus seiner Kindheit Herausgefallene, der Verlassene und Heimatlose. Das Imperfekt der vierten Zeile besagt alles. Nur »Träume« sind noch eine Brücke zu dem verlorenen Einst.

Von sorgloser romantischer Verzauberung kann also keine Rede sein, eher vom Gegenteil. Immer wieder beschwört Eichendorff das Bild einer schönen Welt, aber nur, um es desto gründlicher zu desillusionieren. Er verzaubert, um zu entzaubern, und jene Eichendorff-Leser sind schlecht beraten, die sich nur in ersteres finden und letzteres nicht wahrhaben wollen. Durch die anmutige Kulisse der romantischen Szenerie lugt überall die Wirklichkeit, und die ist alles andere als romantisch. Das schöne Leben ist schöner Schein. Das steigert freilich eher noch das Faszinosum der schönen Welt, jedenfalls ist es ihrem Zauber nicht abträglich. Aber wenn der Leser am tiefsten in sie eingesponnen ist, zeigt Eichendorff in der Regel den Untergrund, auf dem sie existiert.

Hier spiegelt sich, wie gesagt, Eichendorffs persönliches Verhältnis zu *seiner* »schönen Welt«, seinem Kindheits-Lubowitz, nur zu deutlich. Er hat es verherrlicht, indem er seine Brüchigkeit und seinen Verlust mitbeschrieb. So sehr sich hier also eine autobiographische Erfahrung im Werk mitteilt, so würde es dennoch nicht genügen, auf sie allein aufmerksam zu machen. Selten hat sich eine persönliche Erlebniskonstellation so fruchtbar auch auf die Struktur der Dichtung ausgewirkt wie bei Eichendorff. »Und wie gerne mag ich schweigen, / Wird mein Leben zum Gedicht«, heißt es, im lyrischen Überschwang allerdings, in dem Gedicht *Der Poet*. Daß die Autobiographie sein Erzählen und Dichten bestimmt, daß sein Leben auch in diesem Sinne zum Gedicht wird, dafür treten seine Werke gleichsam einen ständigen Beweis an. Denn sie alle leben von der Spannung zwischen Traum und Wirklichkeit, Verzauberung und Ernüchterung, freudigem Überschwang und melancholisch-düsterer Betrübnis. Die Mehrzahl der Gedichte reißt die phantastisch-schöne Welt wieder ein, die sie aufbaut, und es sind durchaus nicht nur die Herbstgedichte, die derart enden. Sie machen nur deutlicher, was aber auch sonst sichtbar ist.

> Was wollt ihr mich so wild verlocken
> In dieser Einsamkeit?
> Wie in der Heimat klingen diese Glocken
> Aus stiller Kinderzeit –
> Ich wende mich erschrocken,
> Ach, was mich liebt, ist weit!

– eine solche Strophe (aus dem Gedicht *Im Herbst*) zeigt nicht nur die spezifische Situation Eichendorffs sich selbst gegenüber auf, sondern läßt zugleich auch die besondere Technik des Kontrastes zwischen Einst und Jetzt erkennen, die jedem Eichendorff-Leser so vertraut ist. Und was hier für die Strophe gilt, gilt nur zu oft und öfter noch auch für das ganze Gedicht, und das eben erwähnte ist auch darin nur ein Beispiel unter vielen. »Noch einmal grüß' ich aus der Ferne wieder, / Was ich nur Liebes hab', / Mich aber zieht es nieder / Vor Wehmut wie ins Grab«, so endet das Herbstgedicht auf sehr bezeichnende Weise, und so wie dieses enden manche. Ein Beispiel nur noch für viele: *Angedenken* heißt ein Gedicht aus dem Zyklus *Totenopfer*:

Berg' und Täler wieder fingen
Ringsumher zu blühen an,
Aus dem Walde hört' ich singen
Einen lust'gen Jägersmann.

Und die Tränen drangen leise:
So einst blüht' es weit und breit,
Als mein Lieb dieselbe Weise
Mich gelehrt vor langer Zeit.

Ach, ein solches Angedenken,
's ist nur eitel Klang und Luft,
Und kann schimmernd doch versenken
Rings in Tränen Tal und Kluft!

Hier ist die für Eichendorff so charakteristische dissonante Zeitstruktur von Einst und Jetzt ebenso bestimmend wie der Gegensatz von scheinbarer und eigentlicher Wirklichkeit (»Berg' und Täler wieder fingen / Ringsumher zu blühen an« und »Rings in Tränen Tal und Kluft«) und der vom Anfang und Ende des Gedichtes: Das Gedicht gipfelt nicht in einer imaginären Mitte, sondern Eingang und Ausgang sind die entscheidenden, einander in Übereinstimmung und Gegensatz zugleich zugeordneten Teile des Ganzen. Auf den ersten Blick hin mag man an eine entfernte Ähnlichkeit mit Heinescher Poesie denken, mit der ironischen Pointe, die den Gehalt eines ganzen Gedichtes auch dort so gründlich umzukehren vermag. Aber die Ähnlichkeit ist nur scheinbar. Dort entlarvt sich das Ich, hier entlarvt sich die Welt; dort geht es um das rechte Verhältnis des einzelnen zur Welt und um die Enttäuschung über dessen Unstimmigkeit, hier um das wahre Wesen der Welt, um die Wirklichkeit, die hinter dem schönen Schein liegt.

Deutlicher noch als an der Lyrik Eichendorffs läßt sich der realistische, entzauberte und entzaubernde Untergrund seiner Poesie an den Romanen und Novellen beobachten. Nahezu alle Erzählungen Eichendorffs haben Enthüllungscharakter, zeigen den oft nur so mageren Wirklichkeitsgehalt der schönen Welt, das unromantische Ende mancher Affäre, die so romantisch begonnen hat. Der Aufenthalt des Taugenichts im schönen Rom schließt mit Verwirrung und Enttäuschung: der aus dem Garten unsanft herausgeschobene Steuereinnehmer findet sich unter Gottes freiem Himmel mutterseelenallein auf einem stillen Platz – »die Wasserkunst, die mir vorhin im Mondschein so lustig flimmerte, als wenn Engelein darin auf und nieder stiegen, rauschte noch fort wie damals, mir aber war unterdes alle Lust und Freude in den Brunnen gefallen. – Ich nahm mir nun fest vor, dem falschen Italien mit seinen verrückten Malern, Pomeranzen und Kammerjungfern auf ewig den Rücken zu kehren, und wanderte noch zur selbigen Stunde zum Tore hinaus.« Am Schluß der Erzählung wird noch mehr desillusioniert. Der Liebesbrief an ihn war, so zeigt sich, gar nicht für ihn bestimmt. Seine geliebte Gräfin ist eine arme Waise. Der Taugenichts fügt sich zwar glücklich darein. Aber die große romantische Konfusion ist aufgelöst, auf höchst reale Verhältnisse zurückgeführt. Auch die phantastische Verwirrung in *Auch ich war in Arkadien!* war am Ende nichts als ein Traum: »Die Sonne schien schon hell ins Zimmer, der fatale Kellner stand neben mir und lächelte wieder so ironisch, daß ich mich schämte, nach dem Professor, dem Pegasus und dem Blocksberg zu fragen. Ich griff verwirrt nach meinem Kopf: ich fühlte so etwas von Katzenjammer. Und in der Tat, da ich's jetzt recht betrachte, ich weiß nicht, ob nicht am Ende alles bloß ein Traum war, der mir, wie eine Fata Morgana, die duftigen Küsten jenes volksersehnten Eldorados vorgespiegelt.« Natürlich, es war ein Traum, der vor der Wirklichkeit keinen Bestand hat, Katzenjammer ist an die Stelle der Euphorie getreten, der helle Tag hat die nächtlichen Phantasmagorien hinweggewischt, zugleich aber auch Verwirrung gebracht und das Zauberreich der Phantasie entvölkert. In *Das Schloß Dürande* enthüllt sich am Ende der Racheplan Renalds als auf nichts gegründet: Renald tötet ahnungslos die eigene Schwester, in wahnwitzigem Verkennen der Wirklichkeit, bis er sie schließlich durchschaut und sich, »seines Lebens müde«, in die Luft sprengt. In *Die Entführung* enthüllt sich die anmutige Diana schließlich in ihrer »grausamen Schönheit« – »Gaston schüttelte sich heimlich vor Grausen«, so heißt es, und ihm werden am Ende plötzlich die Augen geöffnet: »Verblendet, wie er war, von ihrer zauberischen Schönheit, hatte sich, als er in den Flammen dieser Nacht sie plötzlich in allen ihren Schrecken erblickt, schaudernd sein Herz gewendet, und, wie eine schöne Landschaft nach einem Gewitter, war in seiner Seele Leontinens unschuldiges Bild unwiderstehlich wieder aufgetaucht, das Diana so lange wetterleuchtend verdeckt.« In *Die Glücksritter* lebt der verbummelte Student Suppius zusammen mit Klarinett auf einem Schloß, auf das er wie im Traum gekommen ist, »vergnügt von einem Tag zum andern, da war nichts als Schmausen und Musizieren und Umherliegen über Rasenbänken und Kanapees. Täglich zur selben Zeit lustwandelten sie rauschend in vollem Staate vor dem Schloß, gleichsam leuchtende Zirkel und Namenszüge durch den Garten beschreibend, der mit seinen Schnörkeln von bunten Scherben wie ein Hochzeitskuchen im Sonnenschein lag, im Hofe hatte der blühende Holunderbusch ihre Staatskarosse schon beinah ganz überwachsen, auf der Marmortreppe schlug der Pfau täglich dasselbe Rad, die Vögel sangen immer dieselben Lieder in denselben Bäumen. Und an einem prächtigen Morgen, den er halb verschlafen, dehnte sich Klarinett, daß ihm die Glieder vor Nichtstun knackten; ›nein‹, sagte er, ›nichts ist langweiliger als Glück!‹« Das Glück ist dann aber schnell dahin; als der wirkliche Graf ankommt, enthüllt sich alles als ein groteskes Mißverständnis. Der abenteuerliche Student bekommt zwar eine goldene Kette umgehängt, aber mit dem fürstlichen Faulenzerdasein ist es endgültig vorbei; Suppius war von einem falschen Schloßfräulein vexiert. Und so wie hier entlarvt sich alles als Täuschung, bestenfalls als schöner Traum. Die Realität ist die alles entzaubernde Macht, die die Dinge wieder in natürlichen Proportionen zeigt und nicht im ungewissen Licht trügerischer Einbildung. Sie ist stärker als die Phantasie. »Unterdes war der Tag schon angebrochen« – diese Formel ist symptomatisch für so viele Schlüsse in Eichendorffs erzählter Welt. Der Tag bringt im eigentlichen Wortsinn ans Licht, was die spukhafte Nacht den Sinnen vorgegaukelt hatte. Die realistische Koda bestimmt die Erzählstruktur fast überall: Konfusion und Ernüchterung sind nicht nur einander ablösende Seelenzustände der Eichendorffschen Helden, sondern auch die aufeinanderfolgenden Stationen seines Erzählens. Natürlich geht es dabei durchaus nicht überall um Kindheitserlebnisse. Aber es geht überall in unermüdlicher Variation um den Widerspruch von Traum und Wirklichkeit, Verzauberung und Entzauberung. In seinem Werk spiegelt sich nicht nur das Kindheitserlebnis seiner eigenen Präexistenz, sondern auch die Abkehr davon; es spiegelt sich nicht nur in den Kindheitsberichten seiner Helden, sondern zugleich in der Erzählstruktur, wo immer sie in der realistischen Auflösung einer romantischen »Konfusion« sichtbar wird.

Eichendorff hat damit eine sehr eigene Erfahrung in seinem dichterischen Werk immer wieder objektiviert. Er sah jedoch zugleich auch sein Verhältnis zu seiner eigenen Kindheit gewissermaßen innerhalb eines großen weltgeschichtlichen Rahmens dargestellt. Denn so wie er seine Präexistenz nur aus der Retrospektive als ein glückliches Arkadien zu erkennen imstande war, dessen Zauber immer mehr wuchs, je stärker er sich davon entfernt wußte, so sah er unter geschichtlicher Perspektive die letzten Jahrhunderte ganz ähnlich als eine permanente Abkehr von einer »schönen alten Zeit«, die innerhalb der Geschichte Europas das gewesen war, was seine Kindheit innerhalb seines eigenen Lebens war. So wie er sich aus dem Wissen um den Verlust seiner Kindheit begriff, so begriff er seine Zeit aus dem Wissen um den Verlust einer Vorzeit, die ihm mit ähnlich paradiesisch-glücklichen Insignien ausgestattet gewesen schien wie auch sein privates Kindheitsparadies. Im Leben Europas schien ihm das Mittelalter diese glückliche Kindheit der Völker gewesen zu sein, und Eichendorff ist darin Romantiker wie seine etwas älteren Zeitgenossen Friedrich Schlegel und Novalis, wenn er auch vor Kritik gerade an der Frühromantik nicht zurückgescheut hat, die ihm nur sehr nebulos und schwärmerisch eine Vorzeit ohne tiefere Einsicht in das wahre Wesen dieser Zeit verherrlicht zu haben schien. »Auch ist es ganz gut«, so heißt es in *Preußen und die Konstitutionen* aus dem Jahre 1830, »daß in den romantischen Mondschein, der die früheren Jahrhunderte wunderbar beglänzte, das morgenkühle, scharfe Tageslicht noch zeitig genug hereinbrach, um die Klüfte und Spalten der längst unterwaschenen und verwitterten Felsen zu beleuchten, die sonst unerwartet über den Häuptern der Sorglosen zusammengestürzt wären.« Eichendorff hat das Mittelalter im Gegensatz zu den Frühromantikern durchaus nicht blind verherrlicht – für ihn war es in sehr bewußter Einsicht die Epoche einer Harmonie der Kräfte, wie sie danach nicht wieder erreicht worden war; die Aufklärung (für ihn unmittelbar daran anschließend) schon ein Abfall von dieser ursprünglichen Harmonie, weil sie einseitig auf die Suprematie des Verstandes bedacht war. Wiederum in *Preußen und die Konstitutionen* findet sich der Satz, der Eichendorffs Standpunkt sehr treffend beleuchtet: »Nicht darin liegt das Übel, daß der Verstand, im Mittelalter von gewaltigeren Kräften der menschlichen Natur überboten, sein natürliches Recht wieder genommen, sondern darin, daß er nun als Alleinherrscher sich keck auf den Thron der Welt gesetzt, von dort herab alles, was er nicht begreift und was dennoch zu existieren sich herausnimmt, vornehm ignorierend. Denn jede maßlose Ausbildung einer einzelnen Kraft, weil sie nur auf Kosten der anderen möglich, ist Krankheit, und so geht oft eine geistige Verstimmung durch ganze Generationen und gibt der Geschichte unerwartet eine abnorme Richtung.« So hat er die Aufklärung bekämpft, genauer: die »falsche Aufklärung«, wie er in *Der deutsche Roman des achtzehnten Jahrhunderts in seinem Verhältnis zum Christentum* schreibt, die in dem allgemeinen Protestantismus der menschlichen

Natur wurzele. Den Beginn dieser falschen Aufklärung sah er mit der Reformation gesetzt, in der er jene unverhältnismäßige Demonstration des Verstandes zuerst verwirklicht erkannte und die unverhältnismäßige Bedeutung und Macht des Verstandes über »Phantasie, Gefühl und die andern für eine harmonische Bildung gleich unentbehrlichen Seelenkräfte«. Der menschliche Verstand war ihm in seiner Ungebundenheit »ein durchaus absolutistischer, trockener und hochfahrender Gesell«, der die ursprüngliche Einheit und Ausgeglichenheit der menschlichen Vermögen für lange Zeit zerstört hatte. Eichendorff hätte sie gern zu restituieren gesucht, und er hat das in einigen Schriften zur Zeit, vor allem aber in seiner literargeschichtlichen Schrift über den deutschen Roman und in seiner historischen Schrift *Die Wiederherstellung des Schlosses der deutschen Ordensritter zu Marienburg*, getan. Auch dabei war er durchaus kein uneinsichtiger Reaktionär, sondern im Grunde auf Vermittlung der einander widerstrebenden Kräfte bedacht. »Die einen finden die Rettung nur in der Restauration des Alten und betrachten alles Vorstreben der persönlichen Freiheit als rebellische Auflösung«, schrieb Eichendorff. »Die anderen, welche sich links gewandt, dagegen stürmen atemlos vorwärts, den angeblich jungen Tag anzubrechen. Ohne Vorzeit und Überlieferung, als gelte es, ganz von neuem die Welt zu erschaffen, summieren sie schlechthin alle Persönlichkeiten als eine souveräne Macht (. . .)« Eichendorff sah den richtigen Weg weder rechts noch links, sondern in der Mitte, und das ist für seine Einstellung auch in politicis sehr bezeichnend. »Lebendiges Heil, wie es scheint«, so heißt es im Anschluß an seine Charakteristik der nur Rückwärtsgewandten und der nur Vorwärtsgewandten, »wird daher nur in der Mitte dieser streitenden Meinungen gefunden werden«. Das Mittelalter, die verlorene schöne alte Zeit der Völker, schien ihm diesen Ausgleich der Kräfte am besten ermöglicht zu haben. Diese Einheit aller menschlichen Vermögen brach auseinander, als der »Absolutismus des sich selbst vergötternden Subjekts« einsetzte. Er war für Eichendorff gleichbedeutend mit der ernüchterten Wirklichkeit, die sich vor jene schöne alte Zeit geschoben hatte.

Es wäre sicherlich falsch, das eine aus dem anderen abzuleiten, die Sehnsucht nach der verlorenen Kindheit aus einer bestimmten Geschichtsauffassung oder diese aus jener. Die Beschwörung der verlorenen Kindheit und die Einsicht in ihren unwiederbringlichen Verlust steht nur in Analogie zu Eichendorffs Geschichtsbild. Das wiederum ist sicherlich aber kein Zufall. In beidem spricht sich das Wissen darum aus, nur noch »sentimentalisch« leben und empfinden zu können und nicht mehr »naiv«. Kaum anderswo ist Schillers Einsicht in das Wesen des sentimentalischen Zustandes besser exemplifiziert als in Eichendorffs Verhältnis zu sich und zur Geschichte. Es war die Sicht eines Spätromantikers hart an der Grenze zu einem desillusionierenden und durchaus nicht »poetischen« Realismus, seine Geschichtsvorstellungen die einer typischen Spätzeit mit allen Mangelgefühlen und Sehnsüchten. Seine historischen Schriften zeugen unablässig davon, so wie seine poetischen von seiner verlorenen Kindheit. So ist er auch von hier aus gesehen alles andere als der unproblematische romantische Sänger und Schwärmer. Eichendorff ist überall zwiespältiger, problematischer, in vielem sogar unglücklicher, als seine Legende es wahrhaben will.

Dennoch ist Eichendorff unter derartigen Voraussetzungen nicht an sich und an der Welt gescheitert wie so mancher seiner Generation, der den Typus des »Zerrissenen« verkörperte. Das liegt einmal an seinem unbeirrbaren Glauben, an seiner Frömmigkeit und Religiosität, die ihm bei allen Bedrohungen doch eine Lebenssicherheit gegeben hat, in der der Zweifel an sich und der Welt nie zur tödlichen Bedrohung wurde. Seine *Geistlichen Gedichte* zeugen sehr deutlich davon. Zum anderen aber hat Eichendorff bei allem persönlichen Wissen um den unaufhebbaren Gegensatz von Einst und Jetzt doch einen ungebrochenen Glauben an die Poesie und auch an die Macht der Poesie bewahrt, und wenn sich seine religiösen Anschauungen als etwas sehr Privates der Betrachtung von selbst verschließen, ist sein Glaube an die Kraft (und auch an die Herrlichkeit) der Poesie um so bemerkenswerter. Im späteren 19. Jahrhundert beginnt dieser Glaube dann ja unsicher zu werden, an der Wende zum 20. Jahrhundert schlägt er gelegentlich sogar ins Gegenteil um, in die Gewißheit, daß sich die Welt dichterisch durchaus nicht mehr bewältigen lasse und daß der Dichter, der es versuche, sich nur einem ungeheuren Irrtum hingebe. Doch für Eichendorff ist Dichten weder fragwürdig noch eine Ersatzhandlung, sondern ein unmittelbar kreativer Akt. Eichendorff hat das, was ihn bewegte, die verlorene »schöne alte Zeit«, in vielfacher Abwandlung auf oft geradezu naive Weise poetisch dargestellt. Je stärker Eichendorff sich von der alten, schönen Zeit entfernt wußte, desto prächtiger erscheint sie in seiner Dichtung. Dort überdauert sie gewissermaßen. Und es ist bezeichnend für Eichendorff, daß sein zweiter und zugleich letzter Roman *Dichter und ihre Gesellen* viel phantastischer ist als *Ahnung und Gegenwart*. Zeit und Gegenwart, hier noch stark anwesend, sind in jenem wieder weit aus der Poesie verbannt. Aber auch schon der Taugenichts ist ja bei allen gelegentlichen Zweifeln an sich und der Welt nie mehr als ein glücklich-naives Kind. Bei allem Wissen um die Vergänglichkeit der schönen alten Zeit hat Eichendorff sie in seiner Dichtung zu bewahren gesucht, und wenn auch das Wissen um ihren Verlust nirgendwo zu überhören ist, so hat sie sich dennoch um so strahlender erhalten, je bedrohter sie erscheint. Und so leben seine Figuren ihr fröhliches Dasein gewissermaßen doch zu Recht. Im *Taugenichts* schnalzt das schlanke Bürschchen mit der Reitgerte und sprengt, »mit den Lerchen über ihm um die Wette, durch die Morgenluft in die blitzende Landschaft hinein«. – »Da schlugen die Vögel im Walde, und von beiden Seiten klangen die Morgenglocken von fern aus den Dörfern, hoch in der Luft hörte man manchmal die Lerchen dazwischen.« Es ist nirgendwo sehr viel anders. Wanderer ziehen fern zwischen Weinbergen und blühenden Gärten in die glänzende Landschaft hinaus, Schlösser, Türme und Berge erglühen purpurn, ein leiser Hauch weht den Klang der Morgenglocken und Lerchengesang und Düfte überall erquickend hinauf, »als läge das Land der Jugend dort in der blitzenden Ferne«. Immer glänzen die Landstraßen unermeßlich weit, alle Ströme ziehen hinaus, Wolken und Vögel schwingen sich durchs heitere Blau ihnen nach, und die Wälder neigen sich im Morgenwind nach der prächtigen Ferne – in der Dichtung ist alles, alles gut. Verse aus dem *Sängerglück* zeigen, daß Eichendorff es nicht anders gewollt hat:

> Herbstlich alle Fluren rings verwildern,
> Und unkenntlich wird die Welt.
> Dieses Scheidens Schmerzen sich zu mildern,
> Wenn die Zauberei zerfällt,
> Sinnt der Dichter, treulich abzuschildern
> Den versunknen Glanz der Welt.

Bibliographische Hinweise

Texte

Joseph von Eichendorff: Sämtliche Werke. Historisch-kritische Ausgabe. In Verbindung mit Philipp August Becker hrsg. von Wilhelm Kosch und August Sauer (ab 1921 nur noch von W. Kosch). Regensburg 1908 ff., Bd. 1, 1–2; 3–4; 6; 8, 1–2; 9; 10–13; 16; 22. (Mehr nicht erschienen.)

Joseph von Eichendorff: Neue Gesamtausgabe. Hrsg. von Gerhart Baumann in Verbindung mit Siegfried Grosse. Bd. 1–4. Stuttgart 1957/58.

Bibliographie

Eichendorff-Bibliographie. Bearbeitet von Wolfgang Kron. (Bis 10. 4. 1959.) In: Eichendorff heute. Stimmen der Forschung mit einer Bibliographie. Hrsg. von Paul Stöcklein. München 1960.

Forschungsberichte

Wolfram Mauser: Eichendorff-Literatur 1959–1962. In: Der Deutschunterricht 14. 1962. Beilage zu Heft 4.

Wolfram Mauser: Eichendorff-Literatur 1962–1967. In: Der Deutschunterricht 20. 1968. Beilage zu Heft 3.

Literatur

Thomas Mann: Der Taugenichts. In: Die Neue Rundschau 27. 1916. S. 1478–1490. (Gekürzt wiederabgedruckt in: Th. Mann: Betrachtungen eines Unpolitischen. Berlin 1918. S. 372–379.)

Aurora. Ein romantischer Almanach. Seit 1929. (Ab 1953 Eichendorff-Almanach.) Hrsg. von Karl Freiherr von Eichendorff und Adolf Dyroff. (Ab 1935 von Karl Schodrok.)

Lorenzo Bianchi: Italien in Eichendorffs Dichtung. Eine Untersuchung. Bologna 1937.

Gisela Jahn: Studien zu Eichendorffs Prosastil. Palaestra 206. Leipzig 1937.

René Wehrli: Eichendorffs Erlebnis und Gestaltung der Sinnenwelt. Leipzig 1938.

Werner Kohlschmidt: Die symbolische Formelhaftigkeit von Eichendorffs Prosastil. Zum Problem der Formel in der Romantik. In: Orbis litterarum 8. 1950. S. 322–354. (Wiederabgedruckt in: W. Kohlschmidt: Form und Innerlichkeit. Beiträge zur Geschichte und Wirkung der deutschen Klassik und Romantik. Bern [Lizenzausg. München] 1955. S. 177–209.)

Otto Friedrich Bollnow: Das romantische Weltbild bei Eichendorff. In: Die Sammlung 6. 1951. S. 456–469. 518–527. (Wiederabgedruckt in: O. F. Bollnow: Unruhe und Geborgenheit im Weltbild neuerer Dichter. 8 Essays. Stuttgart 1953. S. 227–259.)

Josef Kunz: Eichendorff. Höhepunkt und Krise der Spätromantik. Oberursel 1951.

Gerhard Möbus: Eichendorff in Heidelberg. Wirkungen einer Begegnung. Deutscher Osten 14. Düsseldorf 1954.

Benno von Wiese: Joseph von Eichendorff »Aus dem Leben eines Taugenichts«. In: B. v. Wiese: Die deutsche Novelle von Goethe bis Kafka. Interpretationen. Düsseldorf 1956. S. 79–96.

Th. W. Adorno: Zum Gedächtnis Eichendorffs. In: Th. W. Adorno: Noten zur Literatur. Berlin und Frankfurt a. M. 1958. S. 105–143.

Friedrich Heer: Der Konservative und die Reaktion. In: Die Neue Rundschau 69. 1958. S. 490–527.

Leo Spitzer: Zu einer Landschaft Eichendorffs. In: Euphorion 52. 1958. S. 142 bis 152.

Eichendorff heute. Stimmen der Forschung mit einer Bibliographie. Hrsg. von Paul Stöcklein. München 1960.

Darin:

Richard Alewyn: Ein Wort über Eichendorff. S. 7–18. (Erstdruck: Eichendorffs Dichtung als Werkzeug der Magie. Neue deutsche Hefte 43. 1958. S. 977–985.)

Richard Alewyn: Eine Landschaft Eichendorffs S. 19–43. (Erstdruck: Euphorion 51. 1957. S. 42–60.)

Richard Benz: Eichendorff. S. 44–56. (Erstdruck: Ruperto-Carola. Mitteilungen der Vereinigung der Freunde der Studentenschaft der Universität Heidelberg 9. 1957. Bd. 21. S. 88–95.)

Wilhelm Emrich: Dichtung und Gesellschaft bei Eichendorff. S. 57–65. (Erstdruck: Aurora 18. 1958. S. 11–17.)

Friedrich Heer: Die Botschaft eines Lebenden. Zur einhundertjährigen Wiederkehr seines Todestages. S. 66–105. (Erstdruck: Hochland 50. 1957/58. S. 109 bis 127.)

Erich Hock: Eichendorffs Dichtertum. S. 106–123. (Erstdruck: Wirkendes Wort 8. 1958. S. 155–164.)

Curt Hohoff: Verlorene Heimat. S. 124–130. (Erstdruck: Verlorene Heimat. Zum 100. Todestag von Joseph von Eichendorff. Rheinischer Merkur vom 22. November 1957. Nr. 47. S. 7–8.)

Hermann Kunisch: Freiheit und Bann – Heimat und Fremde. S. 131–164.

Gerhard Möbus: Eichendorff und Novalis. Zur poetischen Symbolik in der Dichtung Eichendorffs. S. 165–179. (Erstdruck: Aurora 17. 1957. S. 39–49.)

Robert Mühlher: Der Poetenmantel. Wandlungen eines Sinnbildes bei Eichendorff. S. 180–203.

Horst Rüdiger: Zu Eichendorffs lyrischem Stil. S. 204–210. (Erstdruck: Aurora 17. 1957. S. 27–31.)

Reinhold Schneider: Prophetische Pilgerschaft. Rede zu Eichendorffs hundertstem Todestag, gehalten in Wien 1957. S. 211–217. (Erstdruck: Wort in der Zeit 4. 1958. S. 74–78.)

Oskar Seidlin: Eichendorffs symbolische Landschaft. S. 218–241. (Erstdruck: Eichendorff's Symbolic Landscape. Publications of the Modern Language Association of America 72. 1957. S. 645–661. Vom Vf. selbst übersetzt.)

Paul Stöcklein: Eichendorffs Persönlichkeit. Folgerungen aus alten und neuen Zeugnissen. S. 242–273.

Franz Uhlendorff: Eichendorff, ein Dichter der wirklichen Natur. S. 274–279. (Erstdruck: Aurora 19. 1959. S. 15–19.)

Wolfgang Kron: Bibliographie mit Nachtrag. S. 280–330.

Gerhard Möbus: Der andere Eichendorff. Osnabrück 1960.

Walter Rehm: Jacob Burckhardt und Eichendorff. Freiburg 1960.

Robert Mühlher: Natursprache und Naturmusik bei Eichendorff. Schriftenreihe Kulturwerk Schlesien. Würzburg 1961.

Rudolf Haller: Eichendorffs Balladenwerk. Bern und München 1962.

Walter Killy: Der Roman als romantisches Buch. Über Eichendorffs »Ahnung und Gegenwart«. In: Die Neue Rundschau 73. 1962. S. 533–552. (Wiederabgedruckt in: W. Killy: Wirklichkeit und Kunstcharakter. Neun Romane des 19. Jahrhunderts. München 1963. S. 36–58.)

Robert Mühlher: Eichendorffs Erzählung »Aus dem Leben eines Taugenichts«. Eine Untersuchung der künstlerischen Leistung. Schriftenreihe Kulturwerk Schlesien. Würzburg 1962.

Walter Rehm: Prinz Rokoko im alten Garten. Eine Eichendorff-Studie. In: Jahrbuch des Freien Deutschen Hochstifts 24. 1962. S. 97–207. (Wiederabgedruckt in: W. Rehm: Späte Studien. Bern und München 1964.)

Paul Stöcklein: Joseph von Eichendorff in Selbstzeugnissen und Bilddokumenten. Hamburg 1963.

Oskar Seidlin: Versuche über Eichendorff. Göttingen 1965.
Darin:
Der Taugenichts ante portas. S. 14–31. (Erstdruck: Journal of English and Germanic Philology 52. 1953. S. 509–524. Nachdruck: Aurora 16. 1956. S. 70 bis 81.)
Die symbolische Landschaft. S. 32–53. (Erstdruck: Eichendorff's Symbolic Landscape. Publications of the Modern Language Association of America 72. 1957. S. 645–661. Deutsch: Eichendorffs symbolische Landschaft. In: Eichendorff heute. Hrsg. von Paul Stöcklein. München 1960. S. 218–241.)
»Sehnsucht«. S. 54–73. (Erstdruck: Journal of English and Germanic Philology 54. 1957. S. 511–527. Nachdruck: Aurora 19. 1959. S. 52–64.)
»Der alte Garten«. S. 74–98. (Erstdruck: Euphorion 54. 1960. S. 242–261.)
Zeitliche Perspektiven. S. 99–128. (Erstdruck: Deutsche Vierteljahrsschrift für Literaturwissenschaft und Geistesgeschichte 34. 1960. S. 402–427.)
Blick in die Geschichte. S. 129–160. (Erstdruck: Publications of the Modern Language Association of America 77. 1962. S. 544–560.)
»Die zwei Gesellen«. S. 161–192. (Erstdruck: Germanic Review 38. 1963. S. 66 bis 90.)
»Des Lebens wahrhafte Geschichte«. S. 193–237.
Bleib wach und munter! S. 238–280.

Hans Jürg Lüthi: Dichtung und Dichter bei Joseph von Eichendorff. Bern und München 1966.

Eberhard Lämmert: Eichendorffs Wandel unter den Deutschen. Überlegungen zur Wirkungsgeschichte seiner Dichtung. In: Die deutsche Romantik. Poetik, Formen und Motive. Hrsg. von Hans Steffen. Göttingen 1967. S. 219–252. (Unter dem Titel »Zur Wirkungsgeschichte Eichendorffs in Deutschland« auch in: Festschrift für Richard Alewyn. Hrsg. von Herbert Singer und Benno von Wiese. Köln und Graz 1967. S. 346–378.)

Manfred Beller: Narziß und Venus. Klassische und romantische Allegorie in Eichendorffs Novelle »Das Marmorbild«. In: Euphorion 62. 1968. S. 117–142.

Alexander von Bormann: Natura loquitur. Naturpoesie und emblematische Formel bei Joseph von Eichendorff. Tübingen 1968.

Eric A. Blackall: Moonlight and Moonshine. A Disquisition on Eichendorff's Novels. In: Seminar. A Journal of Germanic Studies. 1970. S. 111–127.

Helmut Koopmann: Eichendorff, Das Schloß Dürande und die Revolution. In: Zeitschrift für deutsche Philologie 89. 1970. S. 180–207.

Albrecht Schau: Märchenformen bei Eichendorff. Beiträge zu ihrem Verständnis. Freiburg i. Br. 1970.

Peter Paul Schwarz: Aurora. Zur romantischen Zeitstruktur bei Eichendorff. Ars poetica. Studien 12. Bad Homburg v. d. H./Berlin/Zürich 1970.

Alexander von Bormann: Philister und Taugenichts. Zur Tragweite des romantischen Antikapitalismus. In: Aurora 30/31. 1970/71. S. 94–112.

Dieter Jäger: Meditation und Kunst als Beschwörung des Verlorenen. Darstellung und Bedeutung der eingehegten Natur in Marvells »The Garden« und Eichendorffs »Der alte Garten«. In: Aurora 30/31. 1970/71. S. 34–49.

Hans Jürg Lüthi: Joseph von Eichendorff und das Tragische. In: Aurora 30/31. 1970/71. S. 7–22.

Elisabeth Stopp: Eichendorffs »Die Lerche«, 2: Ein Textproblem. In: Aurora 30/31. 1970/71. S. 73–83.

Ansgar Hillach und Klaus-Dieter Krabiel: Eichendorff-Kommentar. Bd. 1. Zu den Dichtungen. München 1971. Bd. 2. Zu den theoretischen und autobiographischen Schriften und den Übersetzungen. München 1972.

Dieter Kafitz: Wirklichkeit und Dichtung in Eichendorffs »Ahnung und Gegenwart«. Zur Gestalt Fabers. In: Deutsche Vierteljahrsschrift für Literaturwissenschaft und Geistesgeschichte 45. 1971. S. 350–374.

Klaus-Dieter Krabiel: Joseph von Eichendorff. Kommentierte Studienbibliographie. Frankfurt a. M. 1971.

Horst Meixner: Romantischer Figuralismus. Kritische Studien zu Romanen von Arnim, Eichendorff und Hoffmann. Frankfurt a. M. 1971.

Renate Möhrmann: Der naive und der sentimentale Reisende. Ein Vergleich von Eichendorffs »Taugenichts« und Heines »Harzreise«. In: Heine-Jahrbuch 10. 1971. S. 5–15.

Friedrich Heer: Der Konservative und die Reaktion. In: Aurora 32. 1972. S. 30–58.

Joachim Müller: Das Gedicht in Eichendorffs Erzählung »Die Entführung«. In: J. Müller: Von Schiller bis Heine. Halle (Saale) 1972. S. 175–189.

Samuel Schild: Die Poesie der innern Landschaft. Verwirklichung und Auflösung. Eine Studie zu Eichendorff. Bern 1972.

Oskar Seidlin: Eichendorff und das Problem der Innerlichkeit. In: O. Seidlin: Klassische und moderne Klassiker. Göttingen 1972. S. 61–82. (Erstdruck: Festschrift für Bernhard Blume. 1967. S. 126–145.)

Klaus-Dieter Krabiel: Tradition und Bewegung. Zum sprachlichen Verfahren Eichendorffs. Stuttgart/Berlin/Köln/Mainz 1973. (Zugleich Diss. Frankfurt a. M.)

Dierk Rodewald: Der Taugenichts und das Erzählen. In: Zeitschrift für deutsche Philologie 92. 1973. S. 231–259.

Richard Alewyn: Eichendorffs Symbolismus. In: R. Alewyn: Probleme und Gestalten. Essays. 1974. S. 232–244. (Erstdruck: Neue Deutsche Hefte 43. 1968.)

Klaus Köhnke: Eichendorffs Schloß Dürande. Wirklichkeits- und Symbolcharakter. In: Aurora 34. 1974. S. 7–23.

P. Requadt: Eichendorffs Ahnung und Gegenwart. »Ökonomie« und »Poesie«. In: P. Requadt: Bildlichkeit der Dichtung. Aufsätze zur deutschen Literatur vom 18. bis 20. Jahrhundert. Zum 70. Geburtstag des Verfassers. Hrsg. von Hans Henrik Krummacher und Hubert Ohl. München 1974. S. 35–48. (Erstdruck: Der Deutschunterricht 7. 1955. S. 79–92.)

Detlev W. Schumann: Betrachtungen über zwei Eichendorffsche Novellen: Das Schloß Dürande. Die Entführung. In: Jahrbuch der Deutschen Schiller-Gesellschaft 18. 1974. S. 466–481.

Eckart Busse: Die Eichendorff-Rezeption im Kunstlied. Versuch einer Typologie anhand von Kompositionen Schumanns, Wolfs und Pfitzners. Würzburg 1975.

Siegfried Hajek: Der Wanderer, der Philister, der Scheiternde. Grundfiguren bei Eichendorff. In: Jahrbuch der Raabe-Gesellschaft 1975. S. 42–65.

Helmut Koopmann: Um was geht es eigentlich in Eichendorffs »Taugenichts«? Zur Identifikation eines literarischen Textes. In: Wissenschaft zwischen Forschung und Ausbildung. Ansprachen und Vorträge anläßlich der Errichtung der Philosophischen Fachbereiche I und II der Universität Augsburg. 26. April bis 3. Mai 1974. Hrsg. von Josef Becker und Rolf Bergmann. (= Schriften der Philosophischen Fachbereiche der Universität Augsburg, Nr. 1.) München 1975. S. 179–191.

Hartmut Löffel: Das Raumerlebnis bei Kafka und Eichendorff. Untersuchungen an Eichendorffs »Taugenichts« und Kafkas »Amerika«. In: Aurora 35. 1975. S. 78–98.

Hans-Jürg Lüthi: Joseph von Eichendorff und die Aufklärung. In: Aurora 35. 1975. S. 7–20.

Anselm Mahler: Die Entdeckung Amerikas als romantisches Thema. Zu Eichendorffs Meerfahrt und ihren Quellen. In: Germanisch-romanische Monatsschrift 25. 1975. S. 47–74.

Ernst L. Offermanns: Eichendorffs Roman »Dichter und ihre Gesellen«. In: Literaturwissenschaft und Geschichtsphilosophie. Festschrift für Wilhelm Emrich. Hrsg. von J. Helmut Arntzen, Bernd Balzer, Karl Pestalozzi und Rainer Wagner. Berlin 1975. S. 373–387.

Erich Valentin: »Schläft ein Lied in allen Dingen«. Eichendorff in der Musik. In: Aurora 35. 1975. S. 35–44.

Martin Wettstein: Die Prosasprache Joseph von Eichendorffs. Form und Sinn. Zürich und München 1975.

Inhalt

Eine Literaturgeschichte neuer Prägung:

Deutsche Dichter
Ihr Leben und Werk

Unter Mitarbeit zahlreicher Fachgelehrter
herausgegeben von Benno von *Wiese*

Benno von Wiese entwirft mit dieser literarhistorischen Reihe
ein Panorama der deutschen Dichtung in neuerer Zeit. Leben, Werk und literarische Bedeutung der hervorragenden und
charakteristischen Dichter und Autoren der einzelnen Epochen
werden jeweils von besonderen Fachkennern dargestellt. Biblio-
graphien und Nachweise geben für jeden behandelten Dichter
die Unterlagen zu weiterführender Arbeit.
Diese moderne Literaturgeschichte dient für Studium, Unterricht
und allseitige Information.

In Vorbereitung:

Deutsche Dichter von der Aufklärung bis zur Klassik
ca. 800 Seiten, Gr.-8°, Ganzleinen mit Schutzumschlag, ca. DM 68,–

Bisher liegen vor:

Deutsche Dichter der Romantik
530 Seiten, Gr.-8°, Ganzleinen mit Schutzumschlag, DM 38,–

Deutsche Dichter des 19. Jahrhunderts
600 Seiten, Gr.-8°, Ganzleinen mit Schutzumschlag, DM 35,–

Deutsche Dichter der Moderne
3., überarbeitete und vermehrte Auflage, 624 Seiten, Gr.-8°, Ganzleinen mit Schutzumschlag, DM 45,–

Deutsche Dichter der Gegenwart
686 Seiten, Gr.-8°, Ganzleinen mit Schutzumschlag, DM 45,–

Sonderprospekt steht auf Wunsch zur Verfügung!

ERICH SCHMIDT VERLAG
Berlin 30 • Bielefeld 1 • München 60